구미호뎐 1938

극본 한우리
오리지널 무삭제 대본집
구미호뎐
1938
하권
너와숲

작가의 말

나는 우리말이 좋다.
붕어빵이라는 단어는 이응이 3개나 들어가서, 소리 내 말할 때면
동글동글 입 안을 다정하게 채운다. 꼭 그 글자를 닮은 단팥의 맛.
붕어빵을 타이야끼라고 발음하면, 도무지 그 맛이 안 산다.
모국어를 빼앗긴 시절.
이연은 과거의 문을 열고, 식민지 조선을 찾았다.
'조선의 마지막 산신'으로서 이름 없는 숱한 죽음을 기억하고,
그 역사를 딛고 살아갈 이들을 위로하는 한판 '지노귀굿'을 펼치기 위해.

누구보다 시즌2를 기다려 준 구미호 형제.
위험천만한 액션도, 힘든 수중 촬영도 몸 사리지 않고 뛰어들면서,
새로 합류한 배우들까지 오지랖 넓게 챙기던 두 사람.
지독한 폭염에도, 한파에도 현장에 끝까지 남아서 동료들을 지켜 주고는
했다던 다정한 '서쪽산신' 그녀.
악당인데, 모두의 귀여움을 한몸에 받았던 무영.
애드립 연구를 불타게 해 오는 신주와 이번에 전혀 다른 얼굴을 보여 준
은호까지.
그들을 만난 건 행운이었다.
그리고 〈구미호뎐〉의 숨은 주인공인 강신효 감독님.
액션 판타지 더하기 시대극이라는 극악의 환경에서, 기필코 대본의
200%를 구현해 주신 감독님께 진심으로 존경과 찬사를 전한다.

〈구미호뎐〉과 〈구미호뎐1938〉을 쓰면서, 작업실 창밖으로 네 번의 봄이 지나갔다.
매년 열이틀 정도를 제외하고는 매일 썼다.
창밖으로는 오직 북창동 순두부와 초등학교가 내려다보였다.
사람은 자신이 오랫동안 바라본 것을 닮는다는데.
북창동 순두부를 닮는 것은 사양하고 싶으니, 이왕이면 초등학교 정문에서 말간 얼굴로 아이를 기다리던 저 부모들의 기다림을 닮았음 싶다.

낯선 길을 떠나는 이연에게,
이랑이 무사히 길 찾아 돌아오라며 묶어 준 명주실의 한쪽처럼.
이 이야기의 실타래 끝이 당신들에게 닿길.
그것이 이 난폭한 세계에서 아주 잠시나마 위안이 되길 바라며.

2023 **한우리**

グランド
グランド

차례

등장 인물

이 연	_이동욱
류홍주	_김소연
이 랑	_김 범
천무영	_류경수
구신주	_황희
선우은호	_김용지
복혜자	_김수진
유재유	_한건유
매화	_김주영
난초	_나현
국희	_강나언
죽향	_주예림
장여희	_우현진
마적단의 부두목	_조달환
탈의파	_김정난
현의옹	_안길강
가토 류헤이	_하도권
사이토 아키라	_임지호

이 연 _이동욱

구미호.

'내가 불시착한 그곳이 지옥이라도 상관없었다. 재래식 화장실만 아니라면.' 온수 샤워가 별천지이던 시절. 마주치는 이들은, 머리에 이와 서캐를 바글바글 얹고 다녔고, 가는 곳마다 새까맣게 빈대가 들끓었다. 1938년은 '의외로 결벽증'인 그를 충격적인 위생 실태로 맞이했다. 게다가. 와이파이 없다. 민트초코 아이스크림 없다. 뭣보다, 사랑하는 지아가 곁에 없다. '돌아가야 한다. 내가 살던 그곳으로.' 그런데, 이놈이고 저놈이고 이연의 발목을 잡는다. 그를 죽자고 짝사랑한 여인이. 한때 둘도 없던 벗이. 그리고 잃어버린 동생, 이랑. 다시 만난 이랑에게, 이연은 자신이 미래에서 왔단 사실을 말해 주지 않는다. 그들이 다시 형제가 됐다는 사실도. '계속 미워해라. 마음을 열면 니가 다친다. 다시는… 나를 위해 죽지 마라.' 사실 이연은 식민지 경성의 풍경을 제대로 본 적이 없다. 그 시절, 그는 아편 중독이었으니까. 자신의 흑역사를 대신해, 이연은 시대의 격랑에 분연히 몸을 던진다. 조선의 '마지막 산신'으로서. 총독부의 반격이 만만치 않았지만, 놈들이 간과한 게 하나 있다. '지켜야 할 연인이 없는' 시대의 그는 우리가 아는 것보다 훨씬 무자비하단 것. 바야흐로 사냥의 시간이다.

류홍주 _김소연

柳紅酒 / 묘연각의 주인이자, 전직 서쪽 산신.

경성 최고급 요릿집 묘연각. 이곳엔 이상하게도 '늙지 않는다'는 소문이 도는 여인이 있다고. 절세가인이자 불세출의 예인(藝人)인 그녀를 품어보고자 앓는 사내들만 한 트럭. 그런데… '저와 술을 겨루어 이기신다면 이년을 가지시지요.' 그 가녀린 몸 어디로 술이 들어가는 걸까. 장정 몇이 덤벼도 꺾지 못하는 말술이다. 이름에 술 주(酒)자를 쓰는 것은 우연이 아닐 터. 게다가 아무도 모르지만 그녀, 어마어마한 괴력의 소유자다. 홍주의 정체, 이연과 더불어 한반도를 다스리던 4대 산신 중 하나다. 본체는 천연기념물이자 멸종위기 2급 수리부엉이. 야생의 제왕이라 불리는 대형 맹금류가 묘연각에 들어앉은 이유. '아… 지루해. 뭐 재밌는 일 없나?' 산신의 금기란 금기는 다 어기고, 탈의파한테 붙들려 지옥형에 처해진 것도 어디 한두 번이어야지. 주위에는 사람들 바글바글하지만, 친구 하나 없다. '저보다 약한 것들'하고는 친구 따위 안 한다는 신조 때문. 실은, 조금 외로웠을지도 모른다. 그런 그녀의 눈에 돌연 생기가 돈다. '이연?!!!' 먼 옛날, 처음 만난 그 순간부터 이연에게 말했다. '너, 내 거 해라.' 그리고 까였다. 도도하기 짝이 없던 구미호가, 인간 여자 따위에게 푹 빠졌단 풍문을 듣고 진노했는데. 이연이 제 발로 묘연각에 나타났다?!! 한 번 목표한 것은 절대 놓치지 않는 그녀다. 내 것이 아니 된다면 죽일 것이다.

이랑 _김 범

인간과 구미호 사이에서 태어난 혼종 반인반호.

형과 원수가 되고, 산송장이나 다름없이 산야를 떠돌았다. 누군가, 이랑을 습격했다. 터전 잃은 늑대들이 둔갑한 한 무리의 마적 떼였다. 하필 우울증 걸린 반인반호를 건드린 마적 떼 두목, 단칼에 목이 날아갔음은 물론이다. '모조리 독수리 밥으로 만들어 주마.' 한데, 우두머리를 잃은 그들, 이랑에게 무릎을 꿇고 있다?! 그렇게 이랑은 1930년대를 마적단 두목으로 살았다. 그들이 지나간 자리에는, 시체도 안 남는단 풍문이 돌만큼 냉정한 살인귀가 되어. 그런 이랑 앞에 죽도록 미워하는 형이 나타났다. '죽어!!!' 피 튀기는 일전 끝에, 이연에게 붙들려 이발소와 양품점으로 끌려 다니며 제법 모던보이로 다시 태어난다. 하지만 이랑의 눈에 '곁에 있는 이연'의 정체, 의심스럽기만 한데. 나중에 알게 되지만, 세상에!! 미래에서 왔단다. '미래의 나는 살아 있나? 어떤 꼴로 살아가고 있지?' 왜일까, 형의 눈에 짙은 슬픔이 어룽거린다. 그리고 '이랑의 첫사랑'. 누가 여우 아니랄까 봐 목숨을 내건, 그의 처음이자 마지막 사랑. 하필이면 상대가 '인어'다. '우리 집안에 해산물은 절대 안 된다'고 시어머니 노릇하며 놀려 대는 이연 때문에 미칠 지경. 이랑은 여전히 서툴고 거칠지만 불완전한 그녀의 다리에 보폭을 맞춰 조금 느리게 걷는 법을 배우고, 노래하는 그녀를 위해 피아노를 연주하며, 88개의 건반이 생각보다 많은 화음을 만들어 낸다는 것을 알게 될 것이다.

천무영 _류경수

千無影 / 홍백탈, 전직 북쪽 산신.

'삼도천 수호석'을 훔쳐 과거로 달아난 수수께끼의 홍백탈. 이연을 1938년에 가둬 버린 당사자이기도 하다. 이연과 전면전을 벌여도 밀리지 않는 무공에, 뛰어난 의술 실력, '불'을 다스리는 능력까지, 홍백탈 너머 그의 진짜 정체는?! 전직 '북쪽 산신'. 본체는 백두산 호랑이다. 과거, 4대 산신 중 가장 온화하기로 이름난 것이 북쪽 산신이었다. 살아 숨 쉬는 것이라면, 풀 한 포기도 아끼던 그였다. 하지만 지금, 무영은 변했다. 사람을 잔인하게 이용하고, 필요하면 요괴로 만들고, 이랑을 도륙하기도 한다. 이연을 잡을 수만 있다면. 그를 약하게 만드는 건 오직 하나. '홍주'뿐이다. 무영은 언제나 홍주의 뒷모습을 보고 있었다. 홍주는 늘 이연을 바라보고 있었다. 이연만 바라보았다. 그래도 무영은 둘을 사랑했고, 공평하게 아꼈다. 한때 셋은 '둘도 없는 벗'이었으니까. 그런 그가 이연을 노리는 이유는 뭘까. '친구에서 적'으로. 누구보다 서로를 잘 아는 그들의 피할 수 없는 승부가 기다리고 있다.

구신주 _황희

토종 여우. 이연의 오른팔.

이연과 함께 미래에서 왔다. 타임슬립과 동시에 징용을 당한 것도 모자라, 웬 마적단에게 전 재산을 털린다. 온갖 고초 끝에 경성에 돌아왔지만, 경성은 넓고 이연의 행방은 묘연했다. 냉면집 배달 알바로 근근이 살아가는데, 기분 탓일까. 배달 도중 이연님을 본 것만 같다?! 아내와 똑같이 생긴 인간 여자를 지켜 주며, 그녀의 독립운동을 돕는다.

선우은호 _김용지

선우일보 기자. 정체를 감춘 독립운동가이자 폭발물 전문가.

이름난 재력가의 딸이지만, 하나뿐인 언니가 총독부 관료에게 시집갔다가 목을 맨 후, 광복 의용대 대원이 됐다. 덕분에, 온갖 사건사고의 목격자이자 당사자가 되어 이연 일행과 얽힌다. 한데 '이것들은 뭔데 이렇게 나를 지키려고 난리지?' 은호는 모른다. 자신의 얼굴, 신주의 아내와 놀랄 만큼 닮아 있다는 걸.

복혜자 _김수진

우렁각시. 경성 한복판에 자리한 '오복 양품점'의 주인.

주 고객은 경성의 내로라하는 부호들과 일본인 사모님들이다. 하지만 이곳은 '광복 의용대 경성 제4지부' 비밀 아지트. '명색이 조선 요괴인데, 나라 뺏기고 손가락만 빨고 있을 순 없잖니.' 만주로 가는 군자금 대부분이 우렁각시의 손에서 움직인다.

유재유 _한건유

홍주의 경호원. 그림자처럼 홍주 곁을 지키는 충직하고 과묵한 사내.

본체는 '토종 진돗개'로, 천연기념물 53호라는 사실에 은근히 자부심을 갖고 있다. 홍주의 안전을 제외하고는 그 어떤 관심도 없다.

매화 _김주영

묘연각의 기생.

어린 시절, 길에서 동냥을 하다 홍주에게 거둬졌다. 홍주를 무조건적으로 믿고 따르며, 묘연각의 안살림을 책임지고 있다.

난초 _나현

묘연각의 기생.

'젊고, 잘생기고, 비싼 문화주택 가진' 남자가 이상형이다. 가야금 타는 솜씨가 일품. 머리는 좀 나쁘지만, 여리고 정이 많다.

국희 _강나언

묘연각의 기생.

아들만 다섯인 집안 막내딸로 태어나 피죽도 제대로 못 먹고 자랐다. 식탐이 심해서 손님상에서 자주 안주를 훔쳐 먹는다.

죽향 _주예림

묘연각의 기생.

아버지에게 버림받은 어린 소녀. 뜻밖에, 천재적인 두뇌로 하나를 가르치면 열을 아는 수재다.

장여희 _우현진

인어.

낮에는 오복 양품점 직원, 밤에는 클럽 파라다이스의 이름 없는 가수로 투잡을 뛰는 생활력 만렙 인어 아가씨. 그녀는 경성이 좋았다. 구락부의 반짝이는 불빛. 자신의 노래를 들어주는 사람들. 뭣보다 '구경거리가 될 건지, 가수가 될 건지 둘 중 하나만 해.' 차갑게 말하며 그녀 인생에 뛰어든 이랑을 만났으니까.

마적단의 부두목 _조달환

마적단의 실체는 인간으로 둔갑한 늑대무리들로 이랑에게 잘못 걸린 두목이 목숨을 잃자 바로 그에게 충성을 맹세 후 오른팔이 되어 함께 물건을 훔치며 살고 있다.

탈의파 _김정난

내세 출입국 관리 사무소 넘버1.

탈의파는 그 어느 때보다 바빴다. '낡은 것, 옛 것'이 가차 없이 버려지던 시대. 부정한 것들을 묻어 둔 땅은 '문화주택' 건설 붐으로 파헤쳐 졌고,

잊혀 가는 토착신들은 분노를 감추지 않았다. 들끓는 이승을 통제하느라 눈코 뜰 새 없는 와중에 가끔 사무실을 빠져나왔다. 경성에 '극장'이 생겼기 때문이다.

현의옹 _안길강

내세 출입국 관리 사무소 넘버2.

이 무렵, 현의옹은 하늘 같은 마누라에게 처음으로 '개겼다'. 인간사에 함부로 개입하지 말라는 탈의파의 경고에도, 조선의 독립운동을 지원. '그레고리 현'이라는 가명으로 암약한다. 삼도천 문지기로서 헤아릴 수 없는 죽음을 봐 왔지만, 이건 아니다 싶었다. 전쟁에, 고문에, 강제 노역…. 그렇게 함부로 짓밟히라고 태어난 목숨들이 아니었으므로.

가토 류헤이 _하도권

총독부 경무국장.

말 한마디로, 종로 경찰서장 목을 날릴 수 있는 총독부 최고 권력자 중 하나. 정한론의 기수들을 배출한 조슈 번 출신, 엘리트 관료로만 알려져 있지만. 그의 정체, 노회한 일본 요괴 텐구다.

사이토 아키라 _임지호

총독부 경무국 보안과 요원.

다부진 체격, 사람 속을 꿰뚫어 보는 듯한 눈빛. 사무라이 정신으로 꽉 찬 일본 요괴. 경무국장의 수족으로, 사람 행세를 하며 조선을 탄압하는 데 앞장선다.

장산 범

7

#1 사극 세트장 / 조선 시대 거리 (낮)

6화 엔딩에 이어 '잠깐만 레이디들! 우리, 말로 하자! 응?'
하자마자! 가차 없이 두 사람 목을 내리치는 칼날!
카메라 렌즈까지 피가 '팍' 튄다!
꿇어앉은 두 사람 고꾸라진다! 이대로 죽은 건가 싶은 그때!
이연이 의아한 얼굴로 자기 목 더듬는다! 멀쩡히 붙어 있다?!

이연 (엎드린 채로 속삭이는) 무영아. 야… 우리 안 죽었어.
무영 (그제야 슬며시 고개 들고) 뭐??
이연 (핏자국 보며) 가짜 피야.

그런데 두 사람을 배경으로, 망나니 역할 여자들이 '칼갈이'를 들고.

망나니 여1 비싼 칼 무뎌졌다고 버리면 너무 아깝잖아요.
망나니 여2 이 '만능 칼갈이'로 (시연하며) 몇 번 밀고 당기기만 하면 새로

산 칼처럼 만들 수 있죠.

칼갈이 클로즈업된다. 화면 하단에 자막 박힌다.

자막 인체공학적 설계로 미끄러짐 없이 편안한 그립감을 줍니다.

어디선가 '컷!!' 외치는 소리 들린다.
'수고하셨습니다! 현대적인 차림을 한 수많은 스텝들과 카메라?!

이연 뭐야 이게?!

경악한 얼굴로 서로를 마주 보는 이연과 무영.
그런 두 사람 아랑곳없이, 배우들은 핸드폰 확인하며 자리를 뜬다. 스텝들 분주히 장비와 소품 옮긴다.

스텝1 (대본 손에 들고 와서) 이동하세요. 10분 뒤에 다음 씬 갈게요.
무영 (이연에게, 어안이 벙벙해서) 이거 지금 무슨 상황이니?
이연 (대본 뺏는) 줘 봐!

보면, 드라마 대본이다. 제목은 <장산범의 신부>

무영 장산범의 신부?
이연 드라마 촬영장이야! 조선 시대도 아니고!

무영 장산범이 만든 세상이 뭐 이러니?

이연 일단 (대본 던져 버리며) 이 거지 같은 설정에서 벗어나자고.

두 사람 빠르게 자리를 뜨면서 보면.

망나니 여자1이 한쪽에서 볼멘소리로 통화하고 있다.

망나니 여1 몰라. 이게 드라마야 광고야? 대본이 개똥인데 심지어 쪽대본이래.

지난 회차에, 둘을 유인했던 '소녀' 배우도 보인다. 한가로이 과자를 먹고 있다.

분장팀 스텝이 두 사람 앞을 가로질러 달리며.

분장1 피가 한 바가지는 더 필요하겠는데요!

분장2 물엿이랑 색소 가져와!!

이연 디테일 보소. 진짜 드라마 촬영장 같잖아. (마음에 걸린) 이게 어떻게 가능하지? 제 아무리 날고 기는 요괴라도 '시간'을 넘나들 수는 없을 텐데….

무영 (불안해져서) 홍주는 대체 어디 있는 거야?

조금 전 대본 들고 있던 스텝1이 신경질적인 목소리로.

스텝1 여주인공은? 또 늦는대?

스텝2 지금 도착했답니다.

스텝1 지가 톱스타면 다야.

연예인용 밴 한 대가 촬영장 들어선다. 매니저가 내려서 차 문을 연다.
스텝1이 '쪼르르' 달려가 '오셨어요?' 깍듯하게 인사한다.

무영 (이연을 툭툭 치며) 야. 저기!!

밴에서 도도하게 내리는 여주인공 보인다. 그런데 선글라스를 벗는 그 얼굴!
동시에 '홍주?!!' 경악하는 이연과 무영! 한달음에 홍주에게 뛰어가서!

이연 홍주야!
무영 무사해서 다행이다!

홍주가 놀란 얼굴로 둘을 본다! 그런데 그들을 빤히 보다가 입을 열기를!

홍주 (스텝에게) 누구?
스텝1 남자 4번이랑 5번입니다.
홍주 언제부터 '조연의 조연의 조연' 따위가 나한테 말을 걸었지?
이연 뭐?!
스텝1 (굽실거리며) 죄송해요. 아직 초짜라서.

홍주 (경멸의 눈길로) 치워.

스텝1이 둘을 밀치고 길을 터 준다.
매니저의 부채질을 받으며 '쌩' 가 버리는 홍주.
'홍주야!' 무영이 불러도 뒤도 돌아보지 않는다. 그 뒷모습 황당하게 보며.

이연 홍주 맞지?
무영 왜 우릴 못 알아보지?
이연 장산범한테 홀렸나.
무영 (홍주 따라가며) 힘으로라도 끌고 나가자.
이연 (투덜투덜) 왜 홍주는 주인공이고, 난 조연의 조연의 조연이야?
무영 야, 지금 그게 중요해?

#2 내세 출입국 관리 사무소 (밤)
그 시각. 신주가 탈의파와 현의옹을 찾아왔다.

탈의파 연이랑 무영이가?!
현의옹 아니! 거기가 어딘지 알고 겁대가리 없이 뛰어들어!!

예사롭지 않은 두 사람 반응에, 신주도 겁먹었다.

신주 거기가 어딘데요?

현의옹 봐라. (손바닥 앞뒤 보여 주며) 이게 이승이고, 이게 저승이다. (손날 가리키며) 그 중간이 '삿된 자들의 길'. 얼핏 보면 현실처럼 보이지만, 수천 년 묵은 요괴들의 집이요, 놀이터다. 우리 같은 신들도 함부로 발 들이지 않는 곳.

탈의파 (탄식하는) 게다가 장산범이라니!

신주 그놈 정체가 대체 뭐예요?

탈의파 '흉내 내는 자'

탈의파가 선반에 쌓인 두루마리 가운데 하나를 펼쳐 보인다.
'새하얀 범'을 그린 예스러운 그림.

탈의파 옛날 장산이란 곳에, 남을 흉내 내는데 아주 뛰어난 재주를 가진 범 한 마리가 살았다. 처음엔 짐승의 소리를 흉내 냈고, 다음엔 사람을, 마침내 신들을 흉내 내기 시작했어.

신주 (!!) 신이라면….

탈의파 '산신'의 자리를 탐하였다.

신주 장산범이… 산신이 되려고 했다고요?!

탈의파 목소리만 흉내 내는 게 아냐. 놈은 상대가 보고 듣고 말하는 모든 것, 기억까지 흉내 낼 수 있거든.

현의옹 연이는 어찌 돌아오려고?

신주 이연님한테 명주실 달아 놨어요. 이랑님이 실타래를 쥐고.

현의옹 (하얗게 질린 얼굴로) 길을 열어 놨어?!

탈의파 미친놈들!

신주 왜요??

탈의파　　그쪽 세상에서 건너오려고 할 게다. 이랑이 위험해!

신주　　예에?!!!

#3　　묘연각 / 홍주의 방 (밤)

이랑이 한 손에 실타래 쥐고, 초조하게 앉아 있다.

책상에서 요란한 전화벨 울린다.

받을까 말까 하다가 전화기 든다. 받아 보면 신주다. (이하, 다급한 목소리로)

신주(E)　　여보세요? 여보세요!

이랑　　구신주?

신주(E)　　이랑님! 그놈이 올 거예요!

이랑　　무슨 소리야?

신주(E)　　시간이 없어요! 지금부터 제 얘기 잘 들으세요!

전화기 옆에 끼고, 신주가 알려 주는 대로 움직이는 이랑.

홍주의 머리장식으로 엄지손가락 살짝 찌른다. 핏방울 배어 나온다. 그 핏방울 실타래에 바른다.

이랑　　어. 다 했어.

신주(E)　　(안심한 목소리로) 아, 그럼 이제 준비는 끝났네요.

이랑　　무슨 준비?

신주(E)　　'그쪽으로 갈 준비' 말이야.

마지막 그 말은 '신주 목소리'가 아니다! 잡음이 섞인 기괴한 음성! 속았다!

이랑 (전화기 던져 버리며) 구신주가 아니야!!

뒤늦게 명주실에 묻힌 피를 급히 닦아 보지만, 핏자국 지워지지 않는다!

#4 내세 출입국 관리 사무소 (밤)

신주가 묘연각으로 계속 전화 시도 중이다. 하지만, 전화 연결되지 않는다.

현의옹 안 받니?

신주 계속 통화 중이라는데요? (나갈 채비하며) 가 봐야겠어요!

현의옹 이랑한테 똑똑히 전해라. 행여 명주실에 '피'를 묻히면 안 된다고. 그건 놈들을 '초대'하는 거나 마찬가지야.

신주 예!!

탈의파 (신주 붙잡고) 명주실을 놓치면, 돌아오는 길은 사라진다.

신주 이랑님은 안 놓으실 거예요! 절대! (하고, 달려 나간다)

현의옹 장산범이라니! 애들이 놈을 만난 게 우연일까?

탈의파 무영이 짓이겠지. 지 몸을 고치려면 장산범이 필요할 테니. 놈이 산신에 대해 무슨 한을 품고 있는지도 모르고.

현의옹 여보! 애들 어쩌지?

탈의파 연이랑 무영이가 스스로 깨닫는 수밖에 없어. 그쪽 세상에서 홍주를 데리고 돌아오려면, 결국 '서로가 서로를' 구해야 한다는 걸.

#5 사극 세트장 / 조선 시대 거리 (낮)

이연과 무영, 두리번거리며 홍주를 찾고 있다.
그때, 여자 둘이 다짜고짜 두 사람 얼굴에 파우더 찍어 댄다. 가루 '팍팍' 날린다. 메이크업 아티스트들이다.

이연 뭐 하는 짓이야?!
메이크업1 (기계적인 톤으로) 다음 씬 분장이요. (의상 건네고) 환복하시고요.
무영 우리 방금 죽었는데??
메이크업1 남은 역할이 한 보따리예요. (짜증스레) 이거 저예산이잖아.
이연 (오만상) 심지어 저예산이야?

메이크업1이 이연 입술에 립스틱 바른다.

이연 (진저리 치는) 감히 내 입술에 여자 립스틱을!
메이크업1 하아… 감독님!! (감독에게 가는) 저 못 해 먹겠어요.
이연 (갈아입을 옷 던져 버리며) 장산범 따위한테 놀아날까 보냐?
무영 (옷 퍽퍽 밟는) 우리 전직 산신이야!!

조금 떨어진 곳에서, 누군가 '다음 씬 시작합니다!' 외치는 소리 들린다.

#6 사극 세트장 / 양반집 (낮)

다음 순간, 두 사람 카메라 앞에 서 있다. 방금 던지고 밟아 버린 '그 옷'을 입고.

무영 (!!) 우리가 왜 여기 있지?!

이연 (무영 가리키며) 옷은 언제 바꿔 입었어? 립스틱까지!

이연과 무영, 어리둥절해 있는데.
'거기 누구야?' 하는 소리와 함께 여주인공 등장. 한복 차림을 한 홍주다.
카메라 돌고 있다. 둘은 모르지만 22씬 이미 시작됐다.

무영 홍주야! 나 무영이야!

홍주 (전혀 모르는 얼굴이다) 무영이?

무영 네 친구 천무영! 왜 기억을 못 해?

홍주 나 호수에 빠진 뒤로 '기억상실증'에 걸렸거든.

이연 가지가지 한다. 아주. (홍주 잡아끌며) 야, 이딴 거 때려치우고 가자.

홍주 (뿌리치는) 난 안 가. 못 가.

이연 왜 못 가!

홍주 (뺨을 치며) 내 신랑은 '그분'뿐이니까.

무영 ('헉!!')

이연 (열 받았다. 주먹으로 홍주 배를 가격!) 정신 차려 류홍주! 너 지금 장산범한테 홀린 거야!

그 순간 'NG!' 외치는 소리 들린다. 노발대발하는 감독.

감독 너 어느 회사 소속이야? 감히 여배우한테 손찌검을 해?!

홍주 (짜증) 뭐 이런 것들을 데려왔어?

감독 (홍주에겐 상냥) 미안해요. 다시 갈게요.

무영 누구 맘대로?

하자마자, 다시 그 장면으로 돌아온 두 사람.

홍주 난 안 가. 못 가. (뺨을 치며) 내 신랑은 '그분'뿐이니까.

이연 (무영에게) 아까 그 장면이지?

무영 되돌아왔어!

이연 (주변 집기 뒤엎는) 안 한다고!!

하지만 'NG!' 소리와 함께 또 제자리. 홍주가 똑같이 뺨을 친다.
'어찌된 일일까.' 몇 번을 벗어나려 해도 계속 제자리.
이제는 홍주가 뺨을 칠 때마다 피하고, 막고 하는 요령도 생겼다.

이연 미쳐 버리겠네! 왜 계속 제자리야?!

무영 연아! (구석에 있던 대본 보며) 대사가 있어!

홍주 (대본대로 연기하는) 내 신랑은 그분뿐이니까.

무영 (읽는) '그래. 장산범이 우리보다 강하고 아름다운 건 사실이야. (대사 꼬라지에 인상을 팍) 하지만 우린 널 구하러 왔어.'

이연에게 대본 넘겨준다.

이연 대사가 뭐 이따위야?

무영 (작게) 그냥 읽어.

이연 (마지못해 국어책 읽듯) '무영아. 홍주의 행복을 위해서 우리가 떠나 줘야 하지 않겠니? 괄호 열고 울컥한 얼굴로 홍주에게 괄호 닫고. 홍주야. 네 자리는 여기야.'

무영 (발끈해서) 그건 아니지!!

홍주 니들이 내 친구였을지 몰라도 넌 가짜, 넌 악당이잖아.

이연 (정색하고 묻는) 내가 가짜라고?

홍주 이연이 둘이더라? 진짜는 만주에 있는 아편쟁이.

이연 (6화에서 홍주가 한 말이다. 대본 가리키며) 이게 대본에 있네? (무영에게) 우리에 대해 꽤 많이 아는데?

무영 (굳은 얼굴로) 예감이 안 좋아. (홍주 가리키며) 끌고 나가자!

이연과 무영이 홍주를 포박하듯 붙잡는다.
그런데! 무시무시한 힘으로 둘을 세트 밖으로 던져 버리는 홍주!
두 사람 나뒹군다!
홍주가 울면서 막걸리 꺼내 든다.

홍주 그들을 떠나보낸 아픔, 이 막걸리로 달래야겠군. (한 모금 마시더니) 장기 저온 숙성 방식으로 발효시켜서 효모균이 그대로 살아 있는데다 트림과 숙취도 없다지?

화면에 막걸리병 클로즈업된다. '컷!! 좋습니다!' 하는 감독의 외침.
곧바로 쌩하니 자리 떠 버리는 홍주. 이연과 무영, 털고 일어선다.

무영 (심각해진) 어떡하지? 홍주는 저 모양이고, 우리 힘으론 여길 벗어날 수가 없어. 생각보다 훨씬 강한 놈이야.
이연 통째로 태워 버리자. 이놈의 촬영장.
무영 괜찮을까?
이연 어차피 신기루 같은 거야. 질러!

무영이 손바닥에 정신을 집중한다. 불을 일으킬 셈이다.
그런데 불꽃 비슷한 것도 일어나지 않는다. 다시 한번 정신을 집중하는데.

이연 너 뭐 하냐??
무영 불을 일으킬 수가 없어. 네가 해 봐!

이번에는 이연이 하늘을 향해 손 뻗는다. 마찬가지로 전혀 통하지 않는다.

이연	젠장! 천둥이고 번개고 아무것도 안 되네?
무영	바깥세상의 재주가 안 통하나 봐!
이연	(잠깐 생각하더니) 제목이 '장산범의 신부'잖아. 신부 역할은 홍주, 그 말은 장산범도 이 안에 있다는 거야.
무영	!!!
이연	그놈부터 잡자.

#7 사극 세트장 / 일각 (낮)

이연이 무영과 떨어져서 장산범 찾고 있다.
남이 먹던 아이스 아메리카노 훔쳐 먹으며, 지나가던 스텝1에게.

이연	이 대본 누가 썼니?
스텝1	(무심한 투로) 감독님이 직접 쓰셨잖아요.

이연이 감독을 으슥한 곳으로 끌고 왔다.

이연	네가 장산범이냐?
감독	뭔 소리야?
이연	뭔 소린지 모르면 (우두둑 주먹 꺾으며) 일단 좀 맞자.

잠시 감독의 비명 소리만 들린다. 이내 여기저기 얻어터진 감독 얼굴.

이연	대본 왜 그따구로 썼어?
감독	(쫄아서) 저는 그냥 시키는 대로 한 거뿐예요.
이연	누가 시켰어?
감독	그러니까… (떠올리려고 애쓰는) 그게 누구였더라.
이연	(멱살을 잡고) 장산범이 누구냐고?!
감독	장산범? (하더니, 몸 부들부들 떨기 시작한다!)
이연	왜 이래 이거? (흔들며) 야! 야! 정신 차려!

#8 묘연각 / 홍주의 방 (밤)

이랑의 피가 묻은 후, 방 안 곳곳의 명주실, 전부 붉게 변해 있다.
불안해진 얼굴로 실타래 꼭 쥐고 앉아 있는데.
문득 실타래 팽팽히 당겨진다! 벌떡 일어나는 이랑!
등 뒤의 벽장 문 열린다! 벽장 속에서 다급한 '이연 목소리' 들린다!

이연(E)	랑아! 거기 있니?!
이랑	이연? (하다가, 의심스레) 아냐. 이연 아니지?
이연(E)	나 맞다니까!

벽장 속에서 '손' 하나가 튀어나온다.

이연(E)	당겨 줘! 빨리! 무영이가 당했어!!
이랑	(잡으려다 말고) 네가 이연이란 증거는?

이연(E) 형이 냉면 사 주기로 했잖아! 시간이 없어! 빨리!!

혼란스러운 이랑인데. '진짜 이연이면 어떡하나….' 조심스레 그 손 잡는다.
순간! 숱한 손들 튀어나와 이랑을 끌어당긴다!
필사적으로 몸부림쳐서 손 빼낸다! 그 반동으로 주저앉는다!
주저앉아 뒷걸음질 치는 이랑 뒤로 인기척 느껴진다!
조심스레 눈동자만 굴려 뒤를 보면, 줄줄이 서 있는 여자들의 발!
이랑 뒤로, 삼베 두건을 쓴 여자들 넷이 섬뜩하게 늘어서 있다!
뒤춤에서 조용히 도끼를 꺼내는 이랑!
잽싸게 자세 잡고 일어나면, 이랑의 눈에 여자들 보이지 않는다!

이랑 (정신없이 주위 둘러보며) 어디야?!

이랑은 모르지만, 여자들 이랑에게 다가오고 있다!
저마다 손에 '은장도'를 들고!

#9 오복 양품점 (밤)
여희가 콧노래 흥얼거리며 샌드위치 만들고 있다.
'하트 모양'으로 빵 가장자리 뜯어내면, 우렁각시가 등짝을 살짝 때리며.

우렁각시 먹을 거 갖고 장난치면 복 달아난다.

여희 우리 자기가 먹을 거예요. 예쁘게 만들어야 돼.

우렁각시 (잘라 낸 샌드위치 먹으며) 아이고, 요즘 애들은 과부 앞에서 못 하는 짓이 없네.

여희 어떤 분이었어요? 우렁각시님 서방님은?

우렁각시 (목 막힌다) 복날 무지개떡보다 쉽게 상하는 게 사내 마음이라는데. 나한테 참 한결같은 사람이었어.

여희 (조심스레) 근데 어쩌다….

우렁각시 요괴의 장난질에 당했단다. 그 사람은 그리 나를 위해 줬는데, 나는 그 사람 못 지켰어. (서글픈 미소로) 넌 잃어버리지 마라.

여희 (꿋꿋하게) 네.

#10 사극 세트장 / 일각 (낮)

무영이 촬영장 오가며, 스텝과 배우들 얼굴 확인한다.

날카로운 시선으로, 대본 읽는 소녀 앞에서 걸음 멈춘다.

'처음 만났던' 그 소녀다.

무영 (순식간에 '두두리 목검' 목에 겨누고) 너지?

소녀 (당황스러운 듯) 네??

무영 장산범.

소녀 (겁에 질려서) 뭔지 몰라도 저 아녜요!!

무영 원래 이런 장르는 말이야. '처음 만난 놈'이 범인이더라고. 게다가 아까 네가 먹고 있던 뻥튀기.

인서트 플래시백

첫 씬 끝나고 과자를 먹고 있던 소녀. 아까는 제대로 보이지 않았지만 '뻥튀기'다.

무영　구석놀이 할 때 홍주가 들고 있던 거야.

소녀　(다른 배우 가리키며) 저는 그냥 언니가 나눠 주셔서….

무영　거짓말.

소녀　아녜요! (얼굴을 묻고, 홍주 목소리로) 거짓말 아니라니까요!!

무영　(그 목소리에 반신반의해서) … 홍주??

소름 끼치는 웃음소리 들리더니! 소녀의 모습 '홍주'로 바뀌어 있다!

무영　(그 얼굴에 경악해서) 너 뭐야?

홍주　예로부터 나는 '흉내 내는 자'라 불렸다. 뭐든 될 수 있지.

무영　(목검 들고 덤벼들며) 이 새끼가 감히.

홍주　(순식간에 무영을 가격! 목검 날려 버리고! 싱긋) 더 놀자. 이건 네가 만든 세상이야.

무영　뭐?!!

가짜 홍주가 '모니터 화면' 보여 준다.
그 속에, 텔레비전 앞에 외로이 앉아 있던 무영의 모습 비쳐 보인다.

무영 (충격으로) 이건… 나?!

홍주 네 기억을 좀 훔쳐봤어. 조선 시대에 한 번 죽었다가 눈 떠 보니 낯선 미래. 네 옆엔 친구도, 가족도, 아무도 없지. ('TV 리모컨'을 들고) 텔레비전이랬나. 넌 그 속에 나오는 사람들을 흉내 내기 시작했어. 거짓으로 울고 웃고.

무영 닥쳐!!

홍주 (조롱하듯) 넌 나랑 똑같아. 똑같은 괴물.

무영 아니야! 난 너 같은 놈이랑… (달라, 하는데)

홍주 네가 나를 불렀잖아? (손가락으로 자기 목 긋는 시늉하며) 이 여잔 너 때문에 죽을 거야!

무영 (눈앞의 홍주 목에서 피가 뚝뚝 떨어진다. 고통스럽게) 안 돼….

홍주 이제 네 옆엔 아무도 안 남겠네? 영원히 어둠 속을 헤맬 거야 넌. (웃는) 돌이 됐던 그때처럼!

그 순간! '퍽!!' 등 뒤에서 누군가 두두리 목검을 찔러 넣는다! 이연이다!!

이연 '그 얼굴로' 내 친구 괴롭히지 마라.

무영 연아!!

홍주 (찔리고도 피 한 방울 안 난다! 싸늘하게 돌아보며) 얼씨구?

이연 두두리가… 안 통해?!

홍주 (어깨를 으쓱) 넌 '네 친구'에 대해 아는 게 거의 없구나?

무영 ('쿵!!' 이연과 눈 마주친다.)

이연 (단호히) 함부로 나불대지 마. 지 얼굴도 못 까고, 흉내나 내는 주제에 감히.

홍주 여전히 오만하네. 이연. 백두대간 산신. 한때는 네가 되고 싶었는데….

이연 (말 자르며) 죽었다 깨나도 안 돼. 넌 그냥 '광대'일 뿐이거든. (찰나에 포박하듯 붙잡고) 무영아!!

무영이 아까 놓친 목검을 줍기 위해 몸을 날린다!
그 모습 놓치지 않고 주시하는 이연!

홍주 지금부터 딱 1시간 줄게. 이 여자, 구할 수 있으면 구해 봐.

무영 (목검 들고 달려드는데!)

홍주 (태연히) 여기선 니들이 아니라 내가 신이야!

놈이 'TV 리모컨' 버튼을 누르며 섬뜩하게 웃는다.

#11 경성 거리 (낮)

순식간에 둘을 둘러싼 배경 바뀐다. 흠칫하는 이연과 무영.
주위는 텅 빈 경성 거리. 둘의 의상도 30년대로 바뀌었다.
벽면에 어울리지 않는 '디지털시계' 붙어 있다. 60분 카운트 시작된다.

무영 배경이 바뀌었어! 경성이야! (시계 가까이 가서) 앞으로 1시간, 그 전에 홍주를 찾아야 돼!!

이연 (무영만 빤히) 어떻게 찾았어, 그놈?

무영 홍주가 먹던 뻥튀기.

이연 다른 말은? 없었고?

무영 놈은 우리 기억을 훔쳐볼 수 있어.

이연 그럼 이게 다 '내 기억'을 훔쳐서 만든 무대란 거네? 너랑 홍주는 본 적 없는 미래니까. (무심한 투로) 근데 무영아….

무영 (보면)

이연 왜 '내 두두리'는 장산범한테 안 통했을까?

무영 (표정 감추며) 글쎄? 본체가 아니라서 그런가.

마주 본 둘 사이에 팽팽한 긴장감 흐른다.
그러고 있는데 '퍽!!' 뒤에서 누가 맥주병으로 냅다 그들 머리를 친다!!

이연 어떤 새끼야!!

돌아보면, 중절모와 베레모, 비슷한 롱코트 차림의 사내들 한 무더기다.

이연 이것들은 또 뭐야? (베레모 툭 누르며) 어디 실버타운 파티 가세요?

베레모 남 (불량한 투로) 산신 패거리 맞지?

이연 맞는데. 니들 누구냐고.

그러자 순백색 정장에 중절모 쓴 남자가 목소리 '쫙' 깔고 말한다.

김두한 나 김두한이다. (중절모 비스듬히 올리며) 종로의 김두한.

이연 나 환장하겠네….

김두한 쳐라.

건장한 사내들 일제히 둘을 에워싸고 주먹을 날린다!
사내들과 길거리 액션을 벌이는 이연과 무영! 하나둘 나가떨어진다!
순식간에 다 때려잡고, 마지막으로 김두한만 남았다!

김두한 (흔들림 없이) 둘 다 형편없는 실력이군.

무영 (어이가 없다) 재 뭐래니?

김두한 이 싸움은 내가 이긴 거나 다름없다. 난 이미, 너희들의 움직임을 훤히 읽고 있었거든.

무영 (가소로운 듯) 덤벼.

무영이 김두한과 한 판 붙는다!
그런데 가볍게 끝날 줄 알았던 이 싸움, 무영이 밀린다?! 당황했다!
이번에는 이연과의 육탄전! 이연도 놈을 한 대도 때릴 수가 없다!
'안 되겠다.' 둘이 동시에 덤빈다!
그런데 김두한이 무영의 급소를 차고, 이연의 얼굴에 카운터

펀치 날린다!
불가항력으로 쓰러지는 두 사람!

베레모 남 (이연 가리키며) 저러고 맞았는데 이빨이 무사할까요?

김두한 치아 고민은 그만. 경성 치아 보험이 있으니까. (화면 응시하고) 보철 치료는 물론 임플란트, 브릿지, 틀니까지 큰돈 들어가는 치아 치료엔 경성 치아 보험.

쓰러진 채로 열 받아서 어쩔 줄 모르는 '이연의 얼굴'에서 자막 뜬다.

자막 중도해지 시 해지환급금은 보험료보다 적거나 없을 수 있습니다.

#12 사극 세트장 / 양반집 (낮)

같은 시각, 두건을 쓴 여인들이 고운 신부 한복을 옮긴다.
그곳에 '진짜 홍주'가 있다.
초점 없이 고요하기만 한 눈동자. 자신이 누군지조차 잊어버린 얼굴이다.
여인들이 잡혀 온 홍주의 옷을 벗기고, 신부복으로 갈아입힌다.
신부 화장 시작된다. 누군가 뒷모습으로 그녀를 지켜보고 있다. '장산범'이다!
놈의 정체, 서서히 드러난다. 그 모습, 1씬에 등장한 스텝이다.

장산범(E)　혼례가 끝나면, 너는 영원히 내 신부가 될 것이다.

#13　묘연각 / 홍주의 방 (밤)

이랑이 '보이지 않는 불청객'들을 찾고 있다. 한 손에는 도끼, 한 손에는 실타래를 쥐고!
그런 이랑 뒤로, 두건 쓴 여자 하나 섬뜩하게 스쳐 지나간다!
은장도로 이랑의 팔을 '사악' 그어 버린다! '악!' 이랑이 돌아보면 사라지고 없다!
반대쪽에서 또 다른 여자가 다가와, 이랑 허벅지를 긋고 사라진다!

이랑　(미친 듯이 도끼 휘두르며) 어디야?! 나와!

이랑의 눈에는 허공뿐이다.
그런데! 명주실 또 팽팽하게 당겨진다! 이번에는 반대쪽에서 끌어당기듯!
놓치지 않으려고 손에 힘을 주는데! 밖에서 다급히 문 두드리는 소리 들린다!

이랑　(조심스럽게) 누구야?!
부두목(E)　(쥐어짜는 소리로) 두목. 살려 주세요.
이랑　(!!) 부두목이냐?
부두목(E)　예… 저예요.

장지문에 구멍을 뚫고 밖을 내다본다. 그 눈높이에, 얼굴은 보이지 않고 상대의 목부터 어깨선만 보인다.
목에 명주실 칭칭 감겨 있다! 이랑이 쥔 실타래와 연결돼 팽팽하게 목을 조르는 듯!

부두목(E) (목을 매만지면서 고통스럽게) 이 실 좀 잘라 주세요. 목에 엉켜서 숨을 쉴 수가 없어요.

이랑 (혼란스럽지만, 안 믿는다) 웃기지 마. 키가 안 맞잖아.

부두목(E) 제발 이것 좀… (구멍에 눈 들이대며, 사납게) 끊으라고!!

새빨갛게 충혈 된 눈동자! 놀란 이랑이 뒷걸음질 친다! 놈이 '킬킬' 웃는다!

이랑 이 개새끼가!!

하는데, 이번에는 뒤에서 이연의 목소리로!

이연(E) 랑아! 실타래를 놔!

이랑 (도끼 휘두르며) 닥쳐!

이연(E) 그걸 놔야 네가 살 수 있어!

두건을 쓴 여자가 이랑 귓가에 속삭이고 있다! 이랑의 눈에는 보이지 않는다!
아둥바둥하는 이랑 몸에 은장도를 '팍' 찌른다!

이번에는 또 다른 여자가 반대쪽 귀에 대고, 신주 목소리로!

신주(E) 이연님은 이랑님 이용하고 있어요! 정신 차려요! 실컷 이용만 당하다 또 비참하게 버려질 거야!

이랑 (반대쪽에 도끼질) 꺼져!!

신주(E) 명주실! 끊어 버리라니까요!

이랑의 몸에! 여기저기서 은장도 칼날 쏟아진다!
몸부림을 치는 이랑! 그 눈빛 아득해진다!

이랑(N) (손에 쥔 명주실을 보며) 난… 왜 이걸 놓지 못하는 걸까.

인서트 플래시백 구미호뎐 8화 17씬
어린 이랑과 형의 첫 만남 스쳐 간다.

이연 네가 그거냐? 내 부친이 사람과 사이에서 낳은 물건.

이랑(아역) (반갑고, 슬프고) 너도… 여우야?

이연 (자리를 뜨며) 인간으로 살든 여우로 살든 그건 네 마음인데, 뭐로 살든 간에 잊지 마라, 꼬맹아. 스스로를 구하려고 하지 않는 놈한테, 구원 같은 건 없단다.

눈 '찡긋-' 하고 가던 길 가 버리는 이연.
주저앉아 하염없이 그 뒷모습을 보고 있던 이랑, 이내 벌떡 일어선다.

물린 다리 절뚝이며 있는 힘껏 내달린다. 마침내, 이연에게 닿으면.

이랑(아역) 같이 가! (고사리만 한 손으로 이연의 손을 꼭 잡고) 같이 가자, 형.

다시 현재, 보이지 않는 적들과 사투를 벌이며!

이랑(N) 언젠가, 인간 어미에게 버림받은 내 손을 잡아 주었던 그 손이 짜증나게 따뜻해서. (명주실 쥔 손에서 피가 '뚝뚝' 떨어진다) 나는 이게… 이연이랑 연결된 '마지막 고리'같이 느껴졌다.

이랑이 명주실을 잡은 손에 힘을 준다!

이랑 안 놓쳐. 니들이 아무리 날뛰어 봐라! (은장도에 찔리면서도 발악하듯 외치는) 절대! 절대 안 놓쳐!!

#14 카페 혹은 사무실 (낮)

화사한 분위기의 실내. 테이블 곳곳 '노골적으로 상표 노출한 음료수' 깔려 있다.
'퀴즈 프로그램' 간이 로고 박힌 현대적인 배경. 벽에는 디지털시계, 남은 시간 42분.
앞서 얻어터진 이연과 무영이, 잔뜩 열 받은 얼굴로 앉아 있다.
둘의 의상도 현대로 바뀌었다.

무영 또 배경이 바뀌었어!

이연 (음료 마시며, 주변을 둘러보고) 이번엔 퀴즈쇼라…. 놈은 TV 채널을 옮겨 다니며 게임을 하고 있어. 룰은 간단해. 이기든 지든, 우리가 할 일을 해야 다음 단계로 넘어가는 거지.

무영 (인상 찌푸리며) 그놈한테 놀아날 셈이야?

이연 우린 홍주만 구하면 돼. 더 좋은 작전 있니?

무영 (맞는 말이다) 해 보자.

문이 열린다. 멋들어지게 차려입은 사내 하나, 담당 피디 데리고 나타난다.

무영 오냐. 이번엔 누구냐?

하며, 돌아보던 무영과 이연, 동시에 얼어붙는다!!
'만나서 반가워요.' 상냥히 인사를 건네는 남자! 뜻밖에도 죽은 '무영의 형'이다!
무영의 눈에, 어린 무영을 다정히 업고 있던 형의 얼굴 스쳐 간다.

무영 (경악해서) 형??

형 (두 사람 사이에 자리를 잡고 앉으며) 퀴즈 풀러 오셨죠?

이연 (무영을 가라앉히려) 무영아. 니네 형 아니야!

무영 (폭발할 듯) 하… 이 미친… (분노로 형에게) 죽여 버릴 거야!!!

형 (태연히) 퀴즈 포기 하실 거예요? 이러는 사이에도 여자 친군 죽어가고 있을 텐데?

이연　　천무영! 놈의 도발에 넘어가지 마!

무영　　(울분으로) 감히… 감히!!!

이연　　시간이 없어. 앉아!

무영　　(어쩔 수 없이 자리에 앉는다. 미쳐 버릴 것 같은데)

형　　(옷깃 추스르고 밝게) 오늘 퀴즈쇼는 '단짝 친구' 특집입니다. 퀴즈에 앞서 질문 드릴게요. 두 분은 제일 친한 친구였잖아요. (이연 돌아보며) 친구 형을 왜 죽인 겁니까?

이연, 무영　　!!!!

형　　이거 너무 민감한 질문인가요?

이연　　(무영 마주 보며 작심한 듯) 무슨 일이 있어도 서로를 지키자고 맹세했으니까. 그게 그날, 천무영을 구할 유일한 길이었고.

형　　(무영에게) 동의하십니까.

무영　　(이연과 맞부딪친 시선에 불꽃이 튄다!)

인서트 플래시백

이연과 무영, 성인이 되어 산신의 시험을 치르던 날이다.
이연은 이미 상처투성이. 무영은 다친 친구들 치료하느라 기진맥진한 상태.
그때! '무영의 형'이 살기등등해서 무영을 덮친다!
'형!!' 부르짖으며 얼어붙은 무영! 이연이 몸을 던져 놈을 막아 낸다!
이연과 형의 짧은 일전! 이연의 눈 색깔 변한다!
곧이어 마지막 일격을 가하려는 이연! 무영이 미친 듯이 뛰어온다!

'아니야! 뭔가 잘못됐어! 죽이지 마!! 제발!'

그런데 마지막 말을 하기 전에, 이미 이연의 칼이 형을 관통했다! 무영, 절규한다!

형 (재차) 친구 분 말에 동의하세요?

무영 (터질 듯한 감정 억누르며) 동의 못 해.

형 어머 어째서죠? 형이 본인을 죽이려고 했는데?

무영 (칼을 뽑아 목에 겨누고) 니들이 우리 형에 대해 뭘 안다고 함부로 떠들어?!

이연 (무영 뜯어말리며) 그만해!!

무영 (흥분해서) 너 때문이야! 내가 기회를 달라고 했지? 형이 그럴 만한 이유가 있을 거라고! 넌 내 말 안 믿었어!!

이연 시선에, 형이 웃음 '꾹' 참고 있는 것 보인다.

이연 이런 거였어. 장산범이 우리한테 바라는 게.

무영 …뭐?!!

이연 말도 안 되는 이 TV 쇼 말이야. 우리끼리 싸우게 하려는 수작이야. 무영아. 그놈은 '산신'을 두려워해.

형 (능치는) 그럴리가요.

이연 넌 빠져.

이연이 일어서서 카메라 앞으로 다가간다.

이연 어이, 내 목소리 들리지? 우리가 바로 네 콤플렉스야. (놀리듯) 넌 죽어도 될 수 없던 산신이자, 네 광대놀음을 무너뜨리러 온 사신이다. (서늘하게 웃는) 유언이나 남겨 둬.

그러자 촬영 중인 스태프들 사이에 흐르는 묘한 긴장감.
스태프들 속에서, 신경질적으로 'TV 리모컨'을 누르는 장산범 모습 보이면서.

#15 묘연각 / 홍주의 방 안팎 (밤)

이랑의 사투 계속되고 있다! 몸 곳곳 여기저기 찔리고 베인 자국!
두건 쓴 여자들이 부두목, 신주, 이연의 목소리로!

부두목(E) 아 명주실 좀 끊어 줘요!
이랑 (마구잡이로 도끼 휘두르며) 죽여 버린다!
신주(E) 죽는 건 이랑님이죠.
이연(E) (빈정대듯) 어쩌냐. 냉면은 못 먹겠네.
이랑 (귀 틀어막고) 전부 닥쳐! 닥치라고!!!

눈을 뜨자 주위 조용해졌다. 그때 밖에서 들리는 익숙한 목소리.

여희(E) 안에 있니? 나 여희야.

이랑　　(터질 것 같은 분노로) 웃기지 마! 내가 또 속을 줄 알고?

여희(E)　　응? 너 주려고 야참 좀 만들어 왔는데.

이랑　　야참이고 뭐고 꺼지라고!

밖에 샌드위치 들고 서 있는 여희 모습 보인다! 이번엔 '진짜' 여희다!

이하, 방 안팎 상황 교차된다!

방 안에서는, 미쳐 버릴 것 같은 이랑인데!

두건을 쓴 여자 하나, 이랑 목소리로 밖에 대고 '들어와. 기다리고 있어.'

이랑, 기겁한다! 밖에 있는 게 진짜라면, 그녀가 위험하다!

이랑　　오지 마!! 저거 나 아냐!!

밖에 있는 여희는 혼란스럽다!

'들어오라니까?' '오지 마! 오면 죽여 버릴 거야!!' 둘 다 이랑 목소리다!

여희　　들어간다?

이랑(E)　　너 같은 거 필요 없으니까 가라고!! 제발!

여희를 돌려보내야 한다! 이랑이 속에 없는 말 독하게 내뱉는데!

찰나, 문 '벌컥' 열린다! 여희가 방으로 들어왔다!

여희의 눈에, 이랑을 둘러싸고 은장도로 찔러 대는 여자들 보인다!
양손으로 이랑 귀를 막고, 있는 힘껏 소리 지르는 여희! '삐이익-' 하는 기묘한 음파!
그 소리에 밀려나듯 여자들 사라진다! 붉어졌던 명주실 처음과 같이 하얘졌다!
여희가 제 옷소매로 급히 상처의 피를 닦아 준다.
그 모습 그윽하게 보다가. 그만하라고 손을 잡고.

이랑 들어오지 말라니까.
여희 약속했잖아. 너는 내가 지켜 준다고.
이랑 (괜히 성가신 척) 또 빚이 생겨 버렸네.
여희 이번엔 한 번에 갚아 줘.
이랑 어떻게?

여희가 키스하려는데, 고개를 돌려 피해 버리는 이랑. 여희, 상처받은 얼굴이다.
그 순간, 이랑이 여희 볼을 잡고 부드럽게 입을 맞춰 온다.
흔들리는 여희 눈빛. 둘 다 첫 키스다.

#16 사극 세트장 / 조선 시대 거리 (낮)
이연과 무영을 둘러싼 배경, 거리로 바뀌었다. 거리에 인적은 전혀 없다.

무영 (주위 둘러보며) 이번엔 또 뭔데?

하다, 살기를 느끼고 얼어붙는다! 이연이 어느새 무영 목에 검을 들이대고 있다!

이연 있잖아. 난 지금까지 장산범이 내 머릿속을 들여다보고 이 TV쇼를 만들었다고 생각했거든?

무영 그런데?

이연 난 취향이 '로코'라 그 유명한 야인 시대도 안 봤단 말이야.

무영 (!!!) 무슨 말이 하고 싶은 건데?

이연 (진지하게) 나 너 믿어도 되니?

무영 (이연을 마주 보다, 죽음을 각오한 듯 한 발 다가선다. 그 목덜미에서 옅게 피 흐른다) 못 믿겠다면 베어.

이연 (설마) 이런 데서 개죽음 당하겠다고?

무영 대신 죽어도 홍주를 구해. (진심으로) 내 목숨 같은 거 하나도 안 아까워.

이연이 아프게 웃는다. 이내 검을 거두는데.

무영 뭘 확인하고 싶었던 거니?

이연 (복잡한 눈길로) 천무영이 아직도 내 친구가 맞나.

무영 답은? 찾았니?

이연 응. 넌 홍주를 구하기 위해 목숨을 걸었고. 여전히 내가 아는 천무영이고. 네가 날 어떻게 생각하든, 난 너도, 홍주도 포기

할 생각이 없어.

무영 (눈빛 흔들린다) 너한테 그 말을 꼭 듣고 싶은 순간이 있었는데….

치밀어 오르는 마음을 삼키며 이연을 바라보는데, 그 너머에 뻥튀기 떨어져 있다.

무영 (바닥에서 '뻥튀기' 주워 올리며) 뻥튀기야. 여기도!

일정한 방향으로, 뻥튀기가 간헐적으로 떨어져 있다.

이연 함정 아냐? 너무 헨젤과 그레텔이잖아.

무영 홍주가 남긴 거면?

이연 그래 가 보자. 이제와 마녀가 튀어나온들 뭐.

부지런히 뻥튀기 흔적을 따라가는 두 사람.

#17 사극 세트장 / 양반집 (낮)

멍석 위에 전통 혼례상 차려져 있다. 뒤로는 병풍.

신부 차림을 한 홍주가 혼례상 앞에 선다. 뒤이어 장산범 나타난다.

두 사람 혼례상 앞에 마주 서면.

'신랑 신부가 하나 됨을 뜻하는 합근례를 올리도록 하겠습니다.' 하는 목소리.

자막 합근례 - 신랑 신부가 술잔을 주고받으면서 하나 됨을 뜻하는 의식

장산범 (먼저 잔 비우고, 인형처럼 술잔을 바라보고 있는 홍주에게) 마셔라. 이걸 마시면 네가 원하는 기억 속에 영원히 살 수 있어.

홀린 듯 술잔에 입을 대기 시작하는 홍주!

#18 사극 세트장 / 양반집 앞 (밤)

이연과 무영, 뺑튀기 흔적을 따라 양반집 대문 앞에 도착했다. 디지털시계로 남은 시간은 15분 남짓. 얼굴 한 번 마주 보고, 곧장 대문을 연다.

#19 사극 세트장 / 양반집 (낮)

그런데 기다렸다는 듯 검을 들고 둘을 맞이하는 것, '홍주'다!!

이연 홍주야!

무영 (벅차게) 무사했구나! 얼마나 걱정했다고! (다가가) 어디 다친데 없니?

이연 (뭔가 이상함을 느꼈다) 가까이 가지 마!!!

이미 늦었다! 무영을 향해 거침없이 검을 휘두르는 홍주! 무영이 어깨를 '사악' 베였다! 충격으로 얼어붙은 무영을 밀

어내는 이연!
그와 동시에! 이연의 몸에도 홍주의 칼이 파고든다!

이연 (홍주를 거칠게 붙잡고) 정신 차려!! 류홍주!
무영 눈에 초점이 없어!
장산범 벌써 혼례를 치렀거든.

장산범이 마루 위에서 모습을 드러낸다!

무영 '네놈'이었어?!
장산범 그녀는 이제 이쪽 세상에 속한 자. 장산범의 신부다.
무영 웃기지 마!!

하고, 놈에게 달려드는데! 그 앞을 가로막으며 무영에게 칼을 휘두르는 홍주!
장산범이 고약하게 웃는다.

장산범 날 죽이려거든, 그 여자부터 베야 될 게다.
무영 !!!!
장산범 아니면 영원히 이 샷된 세상을 헤매든가.
이연 난 집에 갈 거야. 동생이랑 냉면 먹기로 했거든.

이연이 검을 잡았다!

이연 무영아. 검을 들어. 저놈 말대로 홍주를 잡아야 장산범 잡을 수 있어.

무영 (눈앞의 홍주를 바라보며 차마) 난… 못 해.

이연 우리가 해야 돼. 우리밖에 못 해. 홍주 데리고 나가자.

그 말에, 무영도 고통스럽게 검을 든다!
둘을 마주한 홍주 눈빛에 살기가 번뜩인다! 그렇게 2대 1의 싸움이 시작됐다!
유려한 몸짓들이다! 서로, 아주 오랫동안 합을 맞춰 온 것처럼!
세 친구의 검이 햇빛 아래 날카롭게 부딪친다!

인서트 플래시백
그 칼날에서 화면 넓어지면, 어린 그들이 '지금과 같은 검'을 맞대고 있다!
이연(아역)이 나름 비장한 얼굴로!

이연(아역) 약속할게. 나 이연은 이 검으로 무슨 일이 있어도, 니들을 지킬 거야. (개구지게 웃으며) 나만 꽉 믿어.

홍주(아역) (옆구리 쿡 찌르고) 바보. 서로가 서로를 지키는 거야. (진지하게) 나 홍주는, 연이랑 무영일 위해서 이 칼에 수백, 수천의 피라도 묻히겠습니다.

무영(아역) 음… 난 아무도, 아무것도, 베지 않고 너희를 지킬 수 있으면 좋겠어.

다시 현재. 셋의 칼날이 매섭게 부딪치고 있다!
무표정한 홍주와 달리, 이연과 무영의 얼굴에 슬픔이 서려 있다!
홍주가 독하게 이연을 몰아붙인다!
이연 눈에 '꼭 산신이 돼서 다시 모이는 거다?!' 하던 홍주의 얼굴 스쳐 간다!
칼끝에 망설임이 묻어난다! 빈틈이다! 홍주의 칼이 이연을 '확' 벤다!
이연이 신음하는 사이, 무영이 덤벼든다!
무영은 고통스럽다!
'무영이 괴롭히지 마.' 늘 자신을 감싸던 홍주 모습 스쳐 가는 탓이다!
기회가 왔지만, 차마 홍주를 찌르지 못하고 칼끝을 틀어 버린다!
동시에! 홍주의 칼이 무영에게 와 박힌다! 무영이 검을 놔 버린다!

무영 안 되겠다. 나는 죽어도 널 못 베겠어.

홍주 (여전히 표정 없다. 무영을 찌른 칼에 힘을 주는데!!)

무영 (그런 홍주의 뺨 어루만지며) 네가 좋아. 너 때문에 돌아왔어. 난 너 때문에 살아 있어. 홍주야.

홍주 (기계적인 음성으로) 죽어.

찰나! 이연이 그 칼날을 맨손으로 움켜쥔다!

이연 그만. 그만해. 홍주야! 제발! (이연의 손에서 피 '뚝뚝' 떨어진다! 아랑곳 않고 반대쪽 손 내밀며) 이제 그만하고 우리랑 같이 돌아가자.

일순, 홍주 눈빛 흔들리나 싶더니, 서서히 이연의 손을 잡는다!
그런데 무시무시한 악력으로 이연의 팔을 꺾어 버리는 홍주!
곧바로 무영을 날려 버린다!
흥미롭게 관전하던 장산범, 시원스레 웃는다!

장산범 꼴사납기는. 그런 게 통할 거라 생각했냐? (홍주에게) 숨통을 끊어 버려.

홍주가 둘을 벽에 몰아붙이고, 목을 '콱' 조른다!
이연과 무영이 안간힘을 쓰지만, 이미 부상당한 몸에, 힘으로는 홍주를 당할 수 없다!
이연의 눈빛 아득해진다!

이연(E) 죽는 건가? 고작 이런 데서? (살기등등한 홍주의 눈 바라보며) 게다가 둘도 없는 친구 손에?

무영이 다 죽어 가는 목소리를 짜내어 홍주에게 말한다!

무영 하나도 겁 안 나. 네 손에 죽는 거. 내가 죽어도 넌 살아야 돼. (홍주 손을 잡고, 희미하게 웃어 보이며) 살아서 돌아가. 홍주야. 네가 있어야 할 곳으로.

그 말을 끝으로 힘이 풀린 듯 '풀썩' 주저앉는다!
무영의 목을 조르던 손 펴 보면! 그 손에 무영이 건넨 '옥빛 조각' 쥐어져 있다!
찰나, 홍주의 눈앞에 스쳐 가는 기억 하나!
'이건 말이야. 우리가 셋이 합쳐서 하나란 증거야.'
이연의 목 조르던 홍주의 반대쪽 손에 살짝 힘이 풀린다!
이연이 빠져나왔다! 그러자 홍주가 다시금 이연을 공격하기 시작한다!

이연 난 무영이 같이 네 손에 죽어 줄 생각 없다.

만신창이가 된 몸으로 홍주와 육탄전을 벌이는 이연!
주거니 받거니 서로를 가격하다가!
자신을 밀어붙이는 홍주의 멱살을 잡고, 벽에다 '쾅' 밀어붙이고!

이연 돌아와, 류홍주로. 돌아와. 우리한테.
홍주 ('왜일까.' 저도 모르게 눈에 눈물이 차오른다)
이연 같이 가자. 응? (자신만만한 미소로) 언제나처럼 우리 셋이 같이.
홍주 (무표정한 눈에서 눈물이 '뚝' 떨어진다)
무영 (엉망이 된 몸으로 일어나 이연의 팔을 잡고) 야. 홍주 울리지 마.

그 순간! 홍주에게 몰려오는 기억!

인서트 플래시백

6화 1씬에 이어, 가출한 세 어린이, 같이 깨진 옥빗을 맞춰 보고 있는데! 뒤에서 뭔가가 홍주의 어깨를 '콱' 물어뜯는다! '진짜 아귀'다! 홍주의 비명 소리!

무영은 얼어붙었다! 이연이 곧장 몸을 날려 매섭게 주먹질해 보지만! 피맛을 본 아귀는 홍주에게서 떨어지지 않는다!

홍주의 눈에 눈물 고인다!

무영의 얼굴에 독기가 서린다!

'울리지 마… 홍주 울리지 마!' 중얼대더니 자기 팔뚝을 물어뜯고 아귀의 입에! '차라리 나를 물어!' 피 냄새 맡은 아귀가 홍주를 놓고, 무영을 덮친다!

놈이 입을 '콱' 벌리는데! 뒤에서 이연이 놈을 찌르며 '내 친구들 괴롭히지 마!'

자신을 위해 사투를 벌이는 친구들을 보며, 홍주가 눈물을 훔친다!

이내 홍주까지 달려들어 아귀를 물리치는 셋의 모습에서!

다시 현재. 그 기억에 우뚝 멈춰 선 홍주에게 장산범이 외친다!

장산범 죽여! 둘 다 죽이라고!!

홍주가 인형처럼 바닥에 떨어진 검을 주워 든다! 두 사람에게 다가온다!

벼락처럼 검을 휘두르는 홍주! 두 사람 눈을 질끈 감는데!

무시무시한 속도로 날아가 장산범의 몸에 가 박히는 홍주의 검!

장산범 아아아아악! 네가 왜….

홍주 (순식간에 장산범 앞에 서 있다! 살벌하게 밟으며) 감히 나를 꼭두각시 처럼 부렸겠다?!

장산범 (분노로) 이런 미친년이…. (하는데)

무영 홍주한테 욕하지 마.

어느새 이연과 무영이 그를 포위하고 있다!
순간 이동이라도 하듯 셋을 피해 떨어지는 장산범! 몸에는 홍주의 검 박혀 있다!
이연이 무영에게 검을 던져 준다!
무영이 발로 그 검을 날리면 장산범에게 가 박힌다!
경악하는 순간, 이연이 놈의 뒤에 서 있다! 뒤에서 칼을 '확' 찌르고!

이연 셋이 같이 일 때, 우린 져 본 적이 없어.

3개의 칼이 박힌 채, 장산범 '풀썩' 쓰러진다! 이연이 '씩' 웃는다!
다친 무영이 휘청거린다. 홍주가 얼른 무영을 잡아 주며.

홍주 여전히 나 때문에 다치는구나.

무영 너만 무사하면 돼. (따뜻한 미소로) 난 그걸로 됐어.

이연 (시계를 보고) 시간이 없어. 가자!

홍주　잠깐만!!

홍주가 어딘가로 뛰어 들어가더니 두건 쓴 여자 하나 끌고 나온다.
두건을 벗긴다. 은호다. 두건을 벗은 은호는 도통 현실감이 없다.

은호　여기 어디예요? 구석놀이 하다 말고 기억이 없는데. (무영 알아보고) 천무영 씨?

무영　(잡아끌고) 자세한 얘기는 나가서 합시다.

다들 빠르게 자리를 뜬다. 와중에 쓰러진 장산범을 은밀히 돌아보는 무영.

#20　경성 거리 (밤)

여희가 달뜬 얼굴로 양품점 돌아가는 길.
쏟아지는 달빛 아래서 자신의 입술 가만히 매만진다. 아직도 가슴이 두근거린다.
여희와 엇갈린 길목, 신주가 묘연각으로 달리고 있다. 땀을 뻘뻘 흘리며.

신주　차도 없고 택시도 없고 미치겠네! 이랑님 무사하셔야 돼요!!

인적 없는 밤거리에 '인력거' 한 대 겨우 눈에 띈다. 정신없이 올라탄다.

신주 묘연각으로 갑시다! 빨리요!

'예!' 우렁차게 답하고 달리는 인력거꾼 '마적단 부두목'이다. 서로의 얼굴을 보지 못한 채 인력거 내달린다. 묘연각 가까워진다.
문득 신주의 시선, 인력거꾼 발에 머문다. 어디서 많이 보던 스니커즈?!

신주 그 신발 어디서 났소?!
부두목 어떤 총각이 선물로 줬어요.
신주 (운전자 얼굴 보려고 기웃기웃) 선물이라고?
부두목 (히죽) 좋은 일했다 생각할 겁니다.

인서트 플래시백
'좋은 일했다 생각하쇼.' 부두목이 어깨를 '툭' 치면, 기절하던 순간 스쳐 간다!

그러고 보니, 놈의 새끼손가락에 신주의 결혼반지 보인다.
인력거 멈추기 무섭게 부리나케 뛰어내리는 신주.

신주 (멱살 잡고) 너 나 알지?!

부두목 (어디서 봤는데 싶어) 어??

신주 맞지?!

부두목 애매하게 웃어 보이더니 묘연각 안으로 튄다. 뒤를 쫓는 신주.

#21 묘연각 / 뜰 (밤)

짧은 추격전 끝에 뒷덜미 낚아챈다. 둘이 엉켜서 땅바닥 나뒹군다.

신주 내 신발이랑 결혼반지 내놔!!

부두목 '정정당당하게' 훔친 내 물건이야!

신주 (쥐패는) 이 도둑놈아!

부두목 (얻어터지며 애타게) 두목!!

신주 (이랑이라는 건 꿈에도 모르고) 네 두목을 왜 여기서 찾냐?

#22 사극 세트장 / 조선 시대 거리 (낮)

네 사람, 밖으로 빠져나왔다. 디지털시계 3분 남았음을 알린다.

홍주 나가는 길은?

이연이 손가락을 빛에 비춰 본다. 손가락에 묶여 있던 '명주실' 하얗게 빛난다.

이연 여기!

이연이 앞장서서 명주실 따라 뛰기 시작한다.

#23 묘연각 / 홍주의 방 (밤)

이랑이 쥔 명주실 팽팽하게 당겨진다.

'와라!' 이랑이 버티고 앉아 힘차게 실타래를 감는다.

#24 사극 세트장 / 초가집 (낮)

명주실은 어딘가의 초가집으로 연결된다.

홍주가 은호를 광으로 들여보낸다. 다음은 홍주.

그런데! 이연이 들어가다 말고 돌아보면, 무영이 보이지 않는다.

'무영아!' 남은 시간은 10초 남짓.

잠시 고민하던 이연, 차마 무영일 남기고 떠나지 못한다.

무영을 찾기 위해 돌아 나가는 순간! 제한 시간 끝나 버린다!

#25 묘연각 / 홍주의 방 (밤)

홍주와 은호가 벽장을 통해 무사히 현실로 돌아왔다.

이랑 이연은?!

홍주가 경악해서 벽장 안을 더듬는다. 벽장은 막혀 있다.

홍주 문이 닫혀 버렸어!

이랑 (직접 벽장 확인하더니 꼭지가 돈다. 홍주를 퍽 밀치며) 왜 두고 왔어? 왜 너만 돌아왔냐고!!

홍주 분명 같이 왔어! 다 왔는데!

이랑 천무영 그놈 짓이지! 일부러 그랬어!

홍주 (불길한 예감에) 설마!!

#26 사극 세트장 / 양반집 (낮)

무영은 아까 장산범이 쓰러져 있던 양반집에 와 있다.
장산범의 몸에 두두리 목검 찔러 넣는다. 이내 먼지처럼 바스러지는 장산범.
놈이 사라진 자리에 '보옥' 하나 남았다. 그것을 손에 넣고 일어서는데.

이연(E) 너였구나?

돌아보면, 이연이 서늘한 얼굴로 등 뒤에 서 있다.

이연 장산범을 불러들인 게… 너였어!

무영　이게 필요했거든. (보옥 들어 보이며) 수천 년 묵은 요괴의 정수. 내 몸엔 보약이나 다름없어서 말이야.

보란 듯이 보옥을 삼키는 무영. 몸 안에서 보옥이 반짝 빛을 발한다.
앞섶을 걷어 보면, 돌처럼 굳었던 몸이 말짱해져 있다.
홍주한테 찔리고 베었던 상처도 모두 사라졌다.
이연은 겨우겨우 버티고 서 있는데.

무영　(광기 어린 얼굴로) 드디어 내 몸을 되찾았다. 연아 드디어!
이연　(그 모습 고요히 보다가) 네가 홍백탈이지?
무영　(더는 숨기지 않는다) 내가… 홍백탈이야. 널 이 시대로 던져 버린 것도, 너랑 네 동생을 몇 번이나 죽이려 한 것도. 전부 나야.
이연　(무참한 얼굴로) 아니길 바랐는데. '너만' 아니기를!
무영　너 때문에 난 모든 걸 잃었어. 친구, 가족, 내가 다스리던 산, 그리고 내 자신까지도.
이연　(차갑게) 천 살 넘게 먹고 남 탓하는 놈들이 제일 싫어.
무영　(서늘한 미소) 연아. 넌 집에 못 가. 두 번 다시 사랑하는 여자를 만나지도 못 할 거고.
이연　(터지는) 천무영!!!

이연이 검을 들고 덤벼든다! 하지만 체력은 이미 바닥났다! 몇 번이고 달려들어도 역부족이다! 땅바닥을 기다시피 일어서려고 하는데!

검을 쥔 이연의 손을 잔인하게 짓밟는 무영!

무영 (자신의 검을 쥐고) 죽여 줄게. 네 소원이라면.

하고, 이연에게 검을 내리 꽂는데!
그 순간! 무영을 향해 날아드는 도끼!!
무영이 아슬아슬하게 되받아 쳤다!
이연이 고개를 든다! 눈앞에 검은 고양이 데리고 나타난 이랑의 모습!

이랑 어쩐지 인상이 드럽다 했더니. 내 이럴 줄 알았지.
이연 랑아!
이랑 내가 저놈 믿지 말라고 했지?
무영 (섬뜩하게 다가오면)
이연 (무영의 적수가 못 된다. 걱정에) 랑아. 피해. 난 괜찮으니까….
이랑 (이연 앞을 지키듯 가로막고) 건드리지 마. 죽인다.
무영 (놀리듯) 반쪽짜리 구미호가 뭘 할 수 있겠니?
이랑 (꿈쩍도 않고 무영에게) 이거 죽이려면 나부터 죽여야 될 거다.
이연 내 동생한테! 손끝 하나만 대 봐!!!
무영 하… 눈물 나네. 우리 형은 난도질을 해 놓고, 꼴에 '형제'라 이거지?

무영의 눈에 그 어느 때보다도 강한 분노가 치민다!
이랑에게 성큼 다가간다! 도끼 치켜들고 덤비는 이랑!

무영이 무시무시한 기세로 이랑을 제압하더니!

무영　내가 재밌는 얘기 하나 해 줄까? 넌 말이야…. (뒷말은 들리지 않는다)

이랑　(얼굴 무섭게 굳는다!!)

시간 경과되면, 이랑이 이연을 부축해서 걷고 있다. 무영은 이미 사라지고 없다.

이연　천무영이 왜 날 안 죽이고 그냥 갔지? 절호의 기회였을 텐데. (찝찝해서) 너한테 뭐라던?

이랑　삽소리. (애써 씩씩하게) 가자. 냉면 사 줘.

이연　야, 나 걱정 돼서 달려왔어?

이랑　(아닌 척) 말도 안 되는 소리.

이연　(은근 감동했다. 엉덩이 두드리며) 역시 동생밖에 없다.

그렇게 나란히 걸어가는 이연과 이랑 모습에서.

#27　공원 (낮)

앞서 둘이 만났던 공원. 홍주와 무영이 나란히 앉아 있다.

무영　장산범, 내가 불러 들였어. 미안해 홍주야. 그게 널 노릴 줄은 몰랐다.

홍주 뭘 또 그런 걸 냉큼 자백하고 그래? 원하는 건 얻었니?

무영 (끄덕)

홍주 이제 어쩔 셈이야?

무영 형을 되찾을 거야.

홍주 (!!) 죽은 니네 형 말이야?!

무영 네가 뭐라 해도, 이연하고 난 목숨을 걸고 싸우게 될 거야.

홍주 때려치워. 아무리 위악을 떨어도 넌 '악역' 같은 거 안 어울려. 그냥 내 옆에 있으면 안 되겠니? 내가 아끼던 무영이로.

무영 (다정히) 홍주야. 딴 놈은 몰라도 넌 나 흔들지 마. 네가 흔들면 흔들리고 싶어지니까.

그런 무영을 안타깝게 바라보는 홍주다.

#28 묘연각 / 재유의 방 (낮)

다음 날. 외출했던 재유가 돌아왔다. 방으로 들어서다 말고 '흠칫'.

신주와 부두목이, 방에다 금을 그어 놓고 대치하고 있다.

신주 재유 씨? 어디 먼 데 갔다 오나 봐요?

재유 내 방에서 뭣들 하시는 겁니까.

부두목 이제 '우리' 방이요. 위에다 허락받았어.

재유 위에 누구요?!

신주 홍주 사장님이요. (서럽다) 저는 코 곤다고 이연님한테 쫓겨났어.

부두목 (어깨를 툭 치며, 피식) 코도 고나?

신주 (부두목에게 버럭) 여기 내 구역이니까 넘어오지 말랬지?!

부두목 (재유에게) 이렇게 치사스럽소.

신주 소지품 조심해요. 이 새끼 도둑놈아.

부두목 야! 난 내 직업에 자부심 가진 놈이야!

신주가 머리채를 잡는다. 지지 않고 머리채 잡는 부두목.
재유가 한숨을 쉰다. 앞으로의 삶이 고달프게 생겼다.

재유 두 분 싸우는 건 좋은데, 저한테는 말 걸지 말아 주세요.

부두목 (머리채 잡은 채로 신주에게) 새침데긴가 보네.

신주 (재유에게) MBTI 뭐예요?

재유 예??

#29 서대문 형무소 / 모처 (밤)

'살려 주세요!! 거기 아무도 없어요?'
냉기 흐르는 옥사에 갇혀, 애타게 도움을 청하는 남녀, '너구리 부부'다.

너구리 여 여보! 여기가 대체 어딜까? 우리가 뭔 죄를 지었다고!

너구리 남 쉿! 누가 오고 있어!

복도를 걸어오는 발소리 들린다. 경무국장과 아키라다.

국장 요괴는? 몇이나 확보했지?

아키라 숫자는 적지 않은데, 대부분 약한 개체입니다.

국장 전쟁에 투입하려면 한시라도 빨리 실험을 완성해야 돼. 포획 수를 늘리고, 더 강한 놈들을 잡아들여.

아키라 조선 요괴란 것들이 생각보다 교활합니다. 지들 터전이라고 어찌나 잘 숨는지.

국장 (잠시 생각하더니) 시니가미 용병단. 그자들을 불러.

아키라 (사색이 돼서) 시니가미 용병단이라뇨?! 그 바닥에서 최고 실력자인 건 맞지만, 통제가 안 되는 자들입니다!

국장 (자리를 뜨며 태연히) 통제는 내가 해.

아키라 (따라가며) 그래도….

두 사람 사라지면, 너구리 부부가 다시 고개를 내민다.

너구리 남 (불길하다) 실험이라니 무슨 소릴까.

너구리 여 난 싫어! 여기서 나가야 돼!!

#30 묘연각 / 형제의 방 (밤)

늦은 밤. 이연이 몸 곳곳에 붕대를 감고 툇마루에 앉아 있다.
단호한 얼굴로 '용서 못 해. 천무영….'
그 손에 부러진 '옥빗' 조각 들려 있다. 이연도 지금껏 간직하고 있었다.
열린 방문 사이로, 잠든 줄 알았던 이랑이 이연을 바라보고 있다.

무영이 속삭이던 말 스쳐 간다.

'넌 앞으로 100년도 채 못 살고 죽어. 2020년에, 니네 형을 대신할 제물이 돼서. (웃으며) 실컷 이용만 당하다 죽는 거야.'

이랑이 '이연의 정체'를 눈치챘다!

그 사실을 까맣게 모르는 이연! 이연을 보는 이랑의 복잡한 눈빛에서!

7화 끝

토착 신들

8

#1 묘연각 / 형제의 방 (낮)

장산범 소동으로부터 여러 날이 흘렀다. 모처럼 단잠을 자는 형제.

잠든 이랑 부대낀다. 이연의 다리가 동생 배 위에 올라가 있다.

그 평화로운 시간도 잠시, 신주가 문을 벌컥 열며!

신주 비상! 비상! 일어나세요!

이연 뭔데? (정신없이 칼부터 쥐고) 기습이야?!

신주 홍주 사장님 긴급 호출! 뭔지 몰라도 난리 났대요!

이랑 (몸 뒤적이며) 내 도끼 어디 있어?!

#2 묘연각 / 뜰

헐레벌떡 뛰어나가 보면, 붉은 다라이에 그득 그득 쌓여 있는 배추?!

홍주가 뒷짐 지고 서서 절인 배추와 새우젓 확인하며.

홍주 바닷바람 맞고 자란 배추라 속이 꽉 찼네. 새우는? 잘 삭았니?

매화 비린내 없이 개운해요. 고춧가루도 잘 말랐고요.

재유와 부두목까지 앞치마 메고 앉아, 쪽파와 무를 썰고 있다. 이랑 보자마자.

부두목 살려 주십쇼. 두목!

이랑 (황당) 여기서 뭐 하냐?

이연 (홍주에게) 비상 상황이라며?

홍주 묘연각에서 제일 큰 월례 행사야. 당연히 비상이지. 앉아. 니들 셋 다.

이연 김장? (훗) 나 전직 산신이야.

이랑 나 마적단 두목이다.

신주 저는… (고민하다가 냉큼) 마적단 피해자예요.

이연 산신은 김장을 하지 않는다.

하고, 멋지게 돌아서는 세 남자. 홍주가 예상했단 듯이 장부 펴 들고.

홍주 그간 니들이 무전취식한 비용을 계산해 봤는데 말이야.

일동 (멈칫)

홍주 못해도 집 한 채 값이 나오더라?

신주 (이연 툭 찌르며) 그러게 왜 자꾸 한정식 풀코스를 시키셔 갖고.

이연 (은은한 미소로) 산신 DC 그런 거 없니?

홍주 짤 없어 인마.

잠시 후, 이연과 이랑이 앞치마 메고 앉아 김칫소를 넣고 있다.
회초리 든 홍주가 김장을 지휘한다.

이연 아우 허리야! 뭔 놈의 김치를 천 포기씩 담가 먹냐!
이랑 명색이 마적단인데 (제 손을 보며) 손에 핏물 대신 고춧물 들었어!
홍주 (회초리로 탁탁) 김치는 손맛이야! 속 꼼꼼히 채워!
이연 (집어 먹더니 홍주에게) 간이 좀 세지 않니?
홍주 줘 봐. (먹여 주면) 딱 좋아. 장독에서 삭히려면 좀 간간해야 돼.

신주와 부두목, 무채를 썰며 배틀이 붙었다.
서로를 의식하며 미친 듯이 채를 썬다. 무가 사방으로 튄다.
그러다 홍주한테 뒤통수 한 대씩 맞았다. 이연에게 채 썬 무를 갖다 주면서.

신주 이연님, 저 얘랑 룸메이트 못 해요. 나랑 진짜 안 맞아!
부두목 너 일름보냐?!
이연 넌 왜 하필 구신주를 털어 가지고. 얘 뒤끝 살벌한 애야.
이랑 쟤가 알고 그랬니? 그냥 직업 정신 투철한가 보다 하면 되지.
부두목 그럼요. 술에 뭣이 든 줄 알고, 좋다고 받아먹는 놈이 바보 아닙니까.

인서트 플래시백

이랑이 준 술 원샷하고 쓰러지던 이연의 모습 스쳐 간다.

이연 (그 기억에 언짢) 야! 피해자한테 죄를 덮어씌우고 그러면 안 돼!

이랑 (가슴 툭 들이받으며) 내 부하한테 소리 지르지 마!

신주 (이랑 혼내는) 형한테 개기는 거 아녜요!

부두목 (신주 멱살 잡고) 두목한테 이래라 저래라 하지 마!

홍주 (버럭) 닥치고 김장이나 해!!

#3 경성역 (낮)

그 시각, 양장을 차려입은 남녀 일행이 경성역에 나타난다. 유키(젊은 여자), 뉴도(지팡이 든 노인), 오오가마(거구), 우시우치보(뚱보). 경무국장이 호출한 '시니가미 용병단'이다!

오오가마 (눈 휘둥그레져서 일본어로) 경성도 많이 변했네.

유키 (살짝 쥐어박는) 조선말로 해야지, 이 닭대가리야.

오오가마 (머리를 긁적이며 히죽, 더듬거리며) 조선말 어렵다.

유키 (한심한 듯) 이 냄새 나는 조선 땅에 온 지도 벌써 20년이야.

뉴도가 신중하게 주위 살피며, 캐러멜 입에 털어 넣는다. 경무국장 수하가 다가온다.

수하 시니가미 용병단인지 뭔지가 니들이지? 국장님 명으로 데리러 왔다.

우시우치보 (기가 차서) 가토 밑에서 일하면서 우릴 몰라?

수하 여긴 경성이야. 시골 촌뜨기들 이름 같은 거 알바 아냐.

우시우치보 (서늘하게 다가서는) 알려 줄까? 우리가 누군지.

뉴도 (우시우치보 막으며, 싱긋) 보는 눈이 많다.

#4 오복 양품점 (낮)

여희는 이랑 생각에 일이 손에 잡히지 않는다. 상품을 정리할 때도, 청소를 할 때도, 자꾸만 이랑의 얼굴 스쳐 가고.

행인이 지나갈 때마다 문밖 기웃거린다. 그런 여희를 보다 못한 우령각시가.

우령각시 이랑 기다리니?

여희 아녜요!!

우령각시 아니면 (종이학 뭉치 가리키며, 피식) 이게 다 뭔데?

여희 잡지에 보니까, 종이학 백 마리를 접으면 사랑이 꼭 이뤄진대서요.

우령각시 (부끄러워하는 여희가 귀여운 듯) 그리 좋으냐? 가서 만나고 와.

여희 그래도 돼요? (바로 달려 나가며) 1시간만 나갔다 올게요!!

#5 경성 거리 (낮)

국장의 수하가 운전하는 차를 타고 총독부로 이동하는 용병단. 조수석에는 뉴도.

뒷자리의 유키가, 옷소매에 씹다 만 캐러멜 붙은 걸 보고.

유키　　내 옷에 캐러멜 붙었잖아! 뉴도 너지!

뉴도　　(창밖만 무심히) 시끄러워.

유키　　더러워!! (오오가마에게) 내 옷!

오오가마가 유키 옷 건네주면, 차 안에서 옷을 갈아입기 시작하는 유키. 뉴도와 우시우치보는 관심도 없고, 오오가마는 얼굴 빨개져서 괜히 창밖을 본다.
국장의 수하가 거슬리는 듯 백미러로 유키를 '흘긋'.

유키　　뭘 봐?

수하　　안 봤어.

유키　　(머리채 확 쥐고) 봤잖아. 방금.

앞 유리에 머리 '퍽퍽' 찍어 버린다! 급브레이크를 밟으며 도는 자동차!
유키가 차에서 내려 수하의 시체 끌어내 던져 버리고, 운전대를 잡으면!

오오가마　　(기지개 켜며) 이제야 좀 넓어졌네.

우시우치보　　(자동차 다시 출발하려는데, 창밖을 보고) '요괴'다. 요괴가 있어!

차창 밖으로, 신나게 묘연각으로 향하는 여희의 모습 보인다.

오오가마　　무슨 요괴야?

우시우치보　　(여희를 빤히) 인어.

여희가 그들과 눈 마주쳤다! 차 안에서 네 명이 자신을 빤히 바라보고 있다!
차안의 상황 전혀 모르고, 기웃대는 여희!

유키　　인어라고?! 인어 고기가 불로불사의 묘약이라잖아! 먹고 싶어!

오오가마　　(유키를 좋아하고 있다. 무기 챙겨 들고) 유키. 내가 잡아다 줄게!

뉴도　　(차 문을 여는 오오가마에게) 적당히 해. 지금은 임무가 먼저야.

유키가 인상을 구기고, 어쩔 수 없이 차를 출발시킨다. 멀어지는 여희를 의미심장하게 돌아보는 오오가마의 시선에서!

#6　　묘연각 / 정자 (낮)

김장 끝났다. 매난국죽이 수육을 썰고, 재유가 가마솥에 부침개 부친다.
이연과 이랑, 갓 담근 김치에 수육과 부침개 먹고 있다.
야무지게 먹는 이연과 달리 이랑은 막걸리만 홀짝.

이랑　　한가해 보이네. 홍백탈 잡으러 안 가냐?

이연　　(무영이 얘기에 살짝 어두워지는) 갔다 왔어. 벌써 아지트 떴더라.

이랑　　우리 애들 시켜서 찾아 줘?

이연 아니. 제 발로 찾아 올 거야.

생각에 잠긴 형을 바라보며, 이랑에게 떠오르는 기억.
'넌 앞으로 100년도 채 못 살고 죽어. 2020년에, 니네 형을 대신할 제물이 돼서.'

이연 (속도 모르고) 그 인어 아가씨랑은 잘 되고 있니? 요새 맨날 본다며.

이랑 (톡 쏘는) 맨날 아니거든?

이연 날짜 잡자 상견례. 어디서 할까? 경양식? 한정식? 횟집은 빼야지. 신부가 해산물 계열이니까.

이랑 (얼굴 빨개져서) 이거 미친놈 아냐?! 상견례는 무슨.

이연 내 소원이다. 너 장가가는 거.

이랑 (싸늘하게) 나한테 신경 꺼.

이랑이 막걸리 들이켠다. 이연이 병을 뺏으며.

이연 빈속에 자꾸 술만 마셔. 속 버린다. (수육 챙겨 주는) 수육도 먹고.

이랑 (짜증스레 젓가락 쳐 버린다) 아, 왜 이래?

이연 이게 그렇게 화낼 일이니?

이랑 친한 척 하지 마. 기분 나빠.

이연 뭐가 또 마음에 안 들어서 삐딱선이야?

이랑 (대답도 않고 일어나서 가 버린다)

이연 (속상해서) 자식. 같이 있을 시간이 얼마 남지도 않았는데.

#7 몽타주 (낮)

굳은 얼굴로 묘연각 나서는 이랑. 이랑을 찾아가던 여희와 엇갈린다. 이랑은 발길 닿는 대로 걷다 보니 오복 양품점 앞이다. 가게 안에 여희는 보이지 않는다. '내가 왜 여길 왔지?' 자조적으로 돌아선다.

여희는 묘연각 앞에서 까치발을 하고 안을 기웃대고 있다. 들어가지는 못하고, 담장에 기대 하염없이 이랑을 기다리는 여희.

#8 조선 총독부 (낮)

용병단 도착했다. 홀로 그들을 기다리던 아키라를 보자마자, 유키가 애교 있게 끌어안으며 '오라버니!!!' 유키는 아키라의 친누이다.

유키 유키 안 보고 싶었어?

아키라 (싫은 얼굴로 떼어 내려는) 글쎄다.

유키 유키는 오빠 너무너무 보고 싶었어. 조선 요괴들한테 발렸다며?!

용병단 (킥킥 웃는)

유키 웃지 마. 우리 오빤 태어날 때부터 약골이라 그래. 내가 복수해 줄게.

아키라 (발끈) 시키는 일이나 똑바로 해.

오오가마 (테이블 '쾅!!' 내리치고) 유키한테 며…명령하지 마.

우시우치보 (어깨동무를 하고) 아키라. 우리 용병단 때려치우더니 신수가 훤하네? (옷 만지작) '사무직'이라 그런가?

아키라 (기분 나쁜 듯 속을 탁 치며) 치워.

국장이 안으로 들어선다. '왔나?' 여유 있는 자세로 자리에 앉으면.

뉴도 (각 잡히게 경례) 시니가미 용병단, 이제 막 만주에서 돌아왔습니다.

국장 그간 전쟁의 최전방에서 수고했다. 니네 대장은?

뉴도 못 보셨어요? 저희보다 먼저 경성에 들어왔는데.

유키 대장은 원래 지가 나타나고 싶을 때 나타나잖아. 빨리 임무나 말해 줘요. 몸이 근질근질해서 미쳐 버릴 거 같아.

국장 실험을 하고 있다.

유키 실험??

국장 조선 요괴를 우리 제국의 전쟁 무기로 개조하는 거지.

유키 어머! 너무 재밌겠다!

국장 니들 임무는 요괴를 생포하는 거다.

오오가마 (어눌한 조선말로 히죽) 죽이고 신체 일부만 가져와도 됩니까?

우시우치보 (답답한 듯) 생포! 산 채로 가져오라고!

뉴도 (교활한 투로) 계산은 어떻게?

국장 머릿수대로 해 주지.

용병단 물러난다. 국장과 아키라 둘만 남으면, 아키라가 걱정스레.

아키라 놈들을 부른 게 잘한 일일까요. 워낙 제멋대로라.

국장 실험이 다가 아냐. 씨를 말려야 돼. 조선 요괴의 뿌리를 뽑고, 이 땅의 민속 신앙을, 조선의 정신을 뿌리 뽑는 거야.

아키라 (알아듣고 고개 숙인다) 아, 그 '이연'이란 자에 대해 알아봤는데요. 묘연각에 있어요. 묘연각 사장과 마찬가지로 조선의 산신이랍니다.

국장 (희미한 미소) '조선의 산신'이라….

#9 묘지 (낮)

무영이 수풀을 헤친다. 버려진 묘비에 '千虎影(천호영)' 적혀 있다. 그 무덤, 무영의 형이 묻힌 곳이다. 그리운 듯 묘비 어루만지며 '잘 있었어, 형?'

이윽고 묵묵히 무덤에 곡괭이질을 하는 무영. 그 옆에 낡은 청동 거울 놓여 있다.

붉은 보자기에 '뼈와 흙'을 소중히 담는 모습 보이고.

시간 경과되면, 불 피운 솥에 뭔가 끓고 있다. 장대로 솥을 젓는다.

그런 무영 뒤로 누군가 조용히 다가온다. 돌아본 무영의 얼굴 환해진다.

무영 (달려가 반갑게 손을 잡고) 현의옹 할아버지!!

현의옹　(안타까운 표정으로) 오냐.

무영　저 어떻게 찾으셨어요?

현의옹　집에 갔더니 없길래. 형 호영이가 여기 묻혀 있지?

무영　그랬었죠. (솥 가리키며 해맑게) 지금은 저기 있어요. 우리 형.

현의옹　(!!) 무영아, 대체 뭘 하려는 거니?

무영　형의 뼈와 흙을 달이고 있어요. 족제비랑 뱀, 거미를 잡아넣고.

현의옹　(경악한 얼굴로 청동 거울 주시하며) 설마… 반혼술을!!

자막　반혼술 – 죽은 자를 불러내는 술법

현의옹　안 된다. 삶과 죽음의 영역을 함부로 무너뜨리면 안 돼.

무영　(청동 거울 지키려는 듯 꼭 끌어안고) 알아요. 전 영원히 용서받지 못하겠죠. 그래도 해야 돼요.

현의옹　(간곡히) 할멈을 적으로 돌리지 마라. 할멈도 나도, 너 포기 안 했다.

무영　(아프게 웃는) 이래서 만나기 싫었는데. 제가 돌이 된 후에도 찾아와 말 걸어 주셨죠. 눈 온다고, 움직이지도 못하는 돌덩이에다 막 옷도 입히시고.

현의옹　(다정히 머리 쓸어 주며) 옛날부터 넌 추위 많이 탔잖니.

무영　저는 할아버지가 알던 그 천무영이 아녜요. 아니어야 하고.

현의옹　무영아. 내가 널 모르니?

무영　저 그냥 계속 '악역' 할래요. 다시는 저 찾아오지 마세요.

현의옹　(종이봉투 내밀며) 너 주려고 사 왔는데. (안 받는데) 배곯지 말거라.

종이봉투 내려놓고 돌아서는 현의옹.
혼자 남은 무영이 열어 보면 군고구마 들어 있다. '하….' 눈이 뜨거워지는 기분이다.

#10 내세 출입국 관리 사무소 / 앞 (낮)

6화에서 농성하던 잡신들 또 시위 중이다. 풍물패 소리 요란하다.
천막에 '단식 농성 3일째' 붙어 있다. 안에 통통한 체형의 잡신2가 가부좌하고 있고.
볏짚을 둘러 입은 잡신1이 결연한 표정으로 삭발 준비. 잡신3이 칼을 대면.

잡신1 (잽싸게 피하며) 아, 이발소도 아니고 우리끼리 깎으면 어째?! 탈의파가 나와야지! (하다가, 잡신2에게) 야, 너 단식 중이야!

잡신2 (몰래 찬밥 먹다가 움찔)

그 순간, 문이 '쾅' 열린다. 탈의파가 밖으로 나왔다.
'탈의파다!' '드디어 나왔네!' 긴장해서 쑥덕이는 소리들.

잡신1 (놀랐지만 센 척) 이제야 나와 보시는구먼?

탈의파 (팔짱을 척 끼고) 터줏대감 삭발하는 거 구경하러 나왔는데?

자막 터줏대감 - 민속 신앙에서 집터를 지키는 수호신

잡신1 (헛기침) 내가 머리카락이랑 이별하면 그쪽이 좀 힘들어질 것인데.

탈의파 깎아. 두상 좋네.

잡신3 (눈치 없이) 깎을까유?

잡신1 (시선 집중된다. 확 털고 일어나서) 이거 말로 해서 안 되겠네!

탈의파에게 들이대는데! 외출했다 막 돌아온 현의옹이 둘 사이를 가로막으며!

현의옹 말로 합시다! 말로! (잡신1에게 속삭이는) 이러다 죽습니다.

탈의파 (밀어 버리고) 당신은 누구 편이야?

잡신3 (조심스럽게 나와) 토착신들이 영문도 모르고 사라지고 있구먼유. 당장 우리만 해도 살아갈 터전이 없어유.

탈의파 그래서? 나한테 집 사 달라고?

현의옹 여보, 생존의 문제라잖아요.

탈의파 인간 생사를 관장하는 게 우리 일이야. 얘들 뒤치다꺼리가 아니고.

잡신1 이럴 줄 알았지. 이 문제가 해결이 안 되면, 지방에 있는 잡신들까지 싹 다 상경 투쟁을 하기로 뜻을 모았소.

탈의파 (혈압 오른다. 현의옹에게) 쟤부터 소멸시켜.

현의옹 그러지 말고 뭐라도 좀 해 줍시다.

탈의파 (잠시 생각하다) 당신, 저것들 전부 끌고 가서 내가 시키는 대로 해.

#11 야외 / 모처 (낮)

6화에서 셋이 술을 마시던 곳. 이연과 홍주가 같은 자리에 앉아 있다.

홍주 언제 가니?

이연 일주일도 안 남았어.

홍주 꼭 가야 돼?

이연 가야 돼. 기다리는 사람이 있어.

홍주 나쁜 자식. 다시 태어났다며. 그 인간 여자.

이연 무영이한테 들었구나. (담담히) 나한테 왜 말 안 했니? 무영이 정체, 넌 알고 있었지.

홍주 꿈을 꾸고 싶었나 봐. 어쩌면 우리 그때로 돌아갈 수 있지 않을까. (쓸쓸한 얼굴로) 나 혼자만 꾸는 그런 미련한 꿈.

이연 믿을지 모르겠지만 홍주야. 난 한 번도 너랑 무영일 버린 적이 없어. 그래서 더 용서가 안 돼 천무영… 내 손으로 끝장을 볼 거야.

홍주 무영이랑 똑같네. 니들은 목숨 걸고 나를 구하고, 또 나한테서 니들을 뺏어 가는구나.

이연 미안하다. 한 번도 네가 원하는 답을 못 해 줘서. 근데 난 지켜야 될 게 있어. 이쪽 세상에도, 또 내가 온 미래에도.

홍주 좋아. 니들이 그렇게 나온다면. (털고 일어나는) 되도 않는 비련의 여주인공은 여기까지. 나도 수단 방법 안 가리고, 내 새끼들이랑 묘연각 지킬 거야.

이연 (일어서서) 하나가 빠졌다. 너. (진심으로) 홍주도 지켜 줘라.

홍주 (이연 손을 잡고, 먹먹하게 보다가) 이제 '페어플레이'는 없는 거다.

#12 묘연각 / 재유의 방 (낮)

재유가 방문을 연다. 방이 그새 쓰레기장이다.

세수하고 온 신주가 거울 앞에서 코롱을 바르고 있다.

부두목이 손으로 부침개 찢어 먹더니 이불에 '슥슥' 닦는다.

부두목 누가 '여시' 아니랄까 봐, 계집애도 아니고 얼굴에 뭘 저렇게 처발라.

신주 이불에 기름이나 처바르는 놈이. 한 번 더 뜰래?

재유 두 분, 잠깐 얘기 좀 하시죠.

신주, 부두목 (보면)

재유 피치 못할 사정 때문에 합방을 했지만, 공동생활엔 책임이 따릅니다. 제가 두 분 싸우는 소리에 잠을 못 자요. 어젯밤만 해도…. (하는데)

신주 저 늑대 새끼가 (요강 가리키며) 내 요강에다 실례를 했어요!

부두목 요강 좀 나눠 쓰는 게 뭐 대수라고?

신주 최소한! 남의 요강에 변은 보지 말아야지!

재유 (부글부글) 이 방 규칙을 말씀드릴게요. 첫째, 밤 9시 이후엔 싸우지 마세요. 둘째, 규칙적인 생활을 하세요. 기상 시간은 아침 6시.

신주 군대도 아니고.

재유 셋째, 청소는 하루에 1번 교대로 합니다. 이불은 꼭 일광 건조 하시고.

부두목 잔소리가 상당히 많은 편이시네. 그쪽은 둔갑하기 전에 본체가?

재유 진돗갭니다. (은근히 자부심 있다) 천연기념물 53호.

자막 진돗개는 1938년에 천연기념물로 지정되었다.

부두목 (강아지 다루듯) 손!

재유 (본능적으로 손 올렸다. '젠장!!' 손 떼며) 하지 마십쇼.

신주 (지지 않고) 우리도 나름 '멸종 위기종'이에요.

부두목 (재유에게 손가락 총) 빵! (반응 없다) 개들은 넘어가는데… 빵!

재유 (화를 꾹 누르며) 멸종되고 싶으세요?

#13 경성 거리 (낮)

이연과 홍주가 묘연각으로 돌아가는 길. 용병단이 노점에서 간식 사 먹고 있다. 유키의 손에는 솜사탕 들려 있고, 뉴도는 허름한 한복으로 갈아입었다.

우시우치보가 이연과 홍주를 발견하고 눈을 빛낸다. 둘은 용병단을 보지 못했다.

우시우치보 요괴다. 둔갑한 요괴야.

뉴도 본체는?

우시우치보 (빤히) 하나는 수리부엉이고, 하나는 구미호.

유키 어떡해! 어떡해!! (시선은 이연에게) 너무 귀여워! 저 남자! 조선에 저렇게 잘생긴 요괴가 있다니!

오오가마　(울상으로) 유키….

유키　건들지 마. (곧바로 따라붙으려고) 재는 내가 맡을게.

뉴도　(뒷목을 잡고) 넌 안 돼.

뉴도가 곧장 이연과 홍주를 따라 사라지면, 분한 듯 동동거리는 유키.

#14　묘연각 / 뜰 (낮)

이연과 홍주가 돌아왔다. 홍주가 뭔가를 보고 경악한다.
'각설이 차림'을 한 잡신4가 간이 연못에서 세수하고, 발까지 씻고 있다.
재유가 뛰어와서 '사장님. 드릴 말씀이….' 하자마자.

홍주　누구야! 누가 '걸립신'을 묘연각에 들여놨어?!

재유　걸립신이요?

홍주　가난의 신! 저게 붙으면 가게 망하는 거 순식간이야!

자막　걸립신 - 가난의 신. 집집이 동냥을 하는 모습으로 나타난다.

잡신4　하이고 인심 한 번 사납구먼. 자꾸 그러면 눌러 앉을 거예요.

홍주　(재유에게 다급히) 잡곡밥이라도 퍼 주고 빨리 내보내!

잡신4　나 못 나가요! 배 째!

홍주	아 왜!!

#15 묘연각 / 정자 (낮)

잡신들 정자에서 푸짐하게 먹고 마신다.
정자 아래서 현의옹이 곤란한 얼굴로, 이연과 홍주를 마주하고 있다.

이연 그러니까 우리 둘이 저 민원을 싹 해결하라고요?! 왜죠??
현의옹 어쩌겠니. 싫으면 (이연에게) 넌 집에 못 가고 (홍주에게) 넌 지옥이래.
이연 이 할망구를 그냥!!
홍주 얘는 그렇다 치고 난 왜요?!
현의옹 지난달에 소금 장수 하나 죽인 거 감형해 줬잖니. 그거 옥살이시킨대.
홍주 그때 뇌물 먹고 봐준 거야! 소 한 마리!
현의옹 암튼 욕봐라. 난 간다.

'어르신!!' 두 사람 발 동동 구르는데, 도망치듯 사라지는 현의옹이다.

#16 묘연각 / 홍주의 방 (낮)

이연과 홍주, 애써 화를 삭이며 정좌했다.

잡신들이 차례 기다리는데, 뻔뻔하게 그들 사이를 파고드는 것, 용병단의 '뉴도'다.
'아, 새치기 하지 말어!' 누군가 외친다. 뉴도가 '너는 위아래도 없냐?!' 싸움을 부추기듯 잡신들 밀어 버린다. '밀지 말라고!' 여기저기 아우성.
신주와 재유가 '한 줄로 서세요.' 상황 정리해 보려 하지만 말이 안 통한다.

홍주　(주먹으로 책상을 '쾅!!') 다들 주목!!! (살벌한 미소로) 여러분? 우리 오늘 김장해서 심신이 빡빡하거든? 가능하면 폭력은 '지양' 하고 싶으니까, 질서 있게 가자.
이연　한 놈씩 나와. 사연은 짧고 굵게. 가능하면 20자 이내로 서술해.

잡신들 틈에서 뉴도, 교활한 눈빛으로 그들을 지켜보는 가운데.
온몸이 젖은 채 물을 뚝뚝 흘리는 잡신3이 먼저 나온다.

신주　어디 사는 누구시죠?
잡신3　나 저기 사거리 우물 주인.
신주　(메모하며) '우물신'이시고. 여긴 어쩐 일로?

자막　우물신 - 우물을 마르지 않게 해 준다는 토착신

잡신3　원래 내 우물이 용한 약숫물이라 해 갖고 저~~기 인천에서도 물을 뜨러 왔는디, 물맛이 변했다.

이연 (빽!) 우리가 정수기 아줌마로 보이냐?

잡신3 정수기가 뭐여?

홍주 원하는 게 우물 청소야 이사야?

잡신3 그 우물은 이제 못 써. 어떤 놈이 약을 풀어서 새로 깃들 델 찾아야 돼야.

홍주 (재유에게) 주인 없는 약수터 하나 내주고 들여앉혀. 다음!

단식 투쟁하던 잡신2가 나온다. 장독 뚜껑을 모자처럼 쓰고 있다. 꼿꼿한 몸짓으로.

잡신2 나 철융인데, 장독대를 도둑맞았소. 범인이 누군진 몰라도 일본 군인마냥 차려입었다던데.

자막 철융신 - 장독대를 지키는 토착신

이연 철융신이 장독을 비우니까 도둑이 들었을 거 아냐?

잡신2 그렇지!

이연 그러게 왜 싸돌아다니셔?

잡신2 살이 찌니까 장독이 꽉 끼더라고.

홍주 에휴… (재유에게) 하나 사 줘라.

잡신2 이왕이면 여주에서 만든 명품 옹기로다가….

홍주 (버럭) 가시라고!

다음은 잡신5가 나왔다. 상복을 입은 중년 아주머니. 신주 귀에 뭔가 속닥거린다.

홍주　(??) 뭔데?

신주　'제석신'이신데, 집주인이 제사를 안 지내서 쫄쫄 굶으셨대요.

자막　제석신 - 후손들을 지키는 조상신

홍주　그게 그렇게 비밀스럽게 할 얘기야?

신주　원래 낯가림이 심하시대요.

홍주　가지가지 한다 진짜.

잡신5　(그 소리에, 신주 귀에 속닥속닥)

홍주　뭐래?

신주　욕하지 말라는 데요? 본인 약간 소심한 성격이라 상처받는다고.

홍주　(책상 뒤엎을 듯이) 아우!!

이연　(홍주 말리며) 원하는 게 뭔데?

신주　집을 박살 내고 싶으시대요.

이연　(환장) 뭘 또 그렇게 급진적이야. 니들은 생각을 고쳐야 돼. 조상신은 집주인이 아녜요. 셰어하우스야. 후손들이랑 공유하는 공간.

홍주　제삿밥이나 좀 더 먹이고 보내!

다음은 나이 지긋한 '할아버지'다. 머리에 장승 상징 얹고 있다.

신주	'천하대장군'이세요. 원래 북한산 입구에 있는 장승 부부신데, 와이프 지하여장군이 실종됐대요.
이연	(성가신 듯) 권태기 아니야?

#17 선우은호의 집 (밤)

그날 밤. 경무국장이 은호 부모와 식사 중이다. 은호가 집에 돌아오면.

아빠	요새 어딜 그렇게 나다니니?
은호	우리 아빠 까먹었나 본데, 저 기자예요.
아빠	'내 신문사' 기자. (다정히) 사장이 말씀하신다. 앉아.
은호	밥 생각 없어요.
엄마	(밥 갖다 주며) 너 살 빠졌다고 네 아빠 걱정이 이만저만 아니셔.
아빠	(호탕하게) 경성 최고 부잣집 딸이, 보릿고개 마냥 비실대면 사람들이 날 얼마나 우습게 보겠니.
국장	바빠서 그래요. 긴코.
은호	(피식) 형부가 나에 대해 뭘 안다고.
아빠	이놈 자식이 싸가지 없게. 사위가 너 준다고 선물도 가져왔는데.
은호	(시니컬하게) 웬 선물??
국장	(작은 선물 상자 건네며) 혼자만 봐야 돼.

그런데! 상자를 열어 본 은호의 얼굴 사색이 된다! 도둑맞은

패물 중 하나다!

신주에게 '이왕 도둑맞은 거 군자금으로 쓰자고.' 하던 모습 스쳐 가면!

국장과 은호 사이에 흐르는 팽팽한 긴장감!

은호(E) 이게 왜 경무국장 손에 있지?! 분명히 우리 조직원한테 전달했는데!

국장 (빙긋) 마음에 드나?

엄마 (기웃거리며) 무슨 선물인데 그래?

은호 (상자 확 닫아 버리고, 호전적으로) 이걸 왜 저한테 주시는 거죠?

국장 가족이잖아. 우리. (의미심장하게) 난 항상 긴코를 지켜보고 있어.

은호 (차가운 미소) 이런 걸로 뭘 할 수 있을까요. 형부는 우리 집 배경이 필요하잖아. 덕분에 그 자리에 있는 거고.

국장과 은호의 눈빛 차갑게 맞부딪친다.

#18 클럽 파라다이스 (밤)

이랑이 홀로 앉아 거푸 독주를 마신다. 막 오픈한 시간이라 손님은 거의 없다. 줄곧 마음에 걸렸던 이연의 모습 스쳐 간다.

인서트 플래시백

이랑 끌어안으며 '심장도 뛰고… 살아 숨 쉬고 있어. 살아 있어 내 동생!'

이연이 일부러 도끼를 맞고 '이제 우리 한 번씩 공평하게 서로를 벤 거다? 그러니까 이제 나 원망하느라 아까운 세월 보내지 말고, 마적단 같은 거 때려치우고, 조금만… 조금만 더 행복하게 살아 주라.'
'한 달만 나랑 같이 있자.'

이랑(N)　　어렴풋이 짐작은 하고 있었다. 함께한 시간 내내, 놈은 떠날 준비를 하고 있었으니까.

인서트 플래시백
같이 밥 먹으며 '더 먹어. 너 살 좀 쪄야 돼.'
다정히 이불 덮어 주던 이연의 모습 위로.

이랑(N)　　헌데, 그 모든 게 다 제 발 저려서 한 짓이라니.

그 얼굴, 배신감으로 일그러진다.

이랑　　(꼭꼭 되새기듯) 나는… '이연 때문에' 죽는다.

여희가 무대에 올랐다. 기다리던 이랑이 '여기 있었구나….' 싶어 얼굴 환해진다.
오롯이 이랑을 보며 노래한다. 보고 있자니 이랑은 심장이 욱신거리는 기분이다.
고통스럽게 여희와 마주 보다 나가 버린다.

이랑을 좇는 여희의 시선. 이내 노랫소리에 힘이 빠진다.

#19 클럽 파라다이스 / 앞 (밤)

이랑이 정처 없이 걷고 있다. 소나기 내리기 시작한다. '어디로 가야 할까.'

이랑 (자조적으로) 그러고 보니 돌아갈 곳이 없네.

그런 이랑의 머리 위로 우산을 씌우는 상냥한 손길. 여희다.

여희 노래 아직 안 끝났는데?
이랑 (흔들리지 않으려고, 이를 악물고) 치워.
여희 (우산 들고 바지런히 이랑 따라가며) 기분 안 좋은 일 있어?
이랑 (뒤도 안 돌아보고) 따라오지 마. 부탁이다.
여희 누구야? 누가 괴롭혔니? 나한테 말해. 내가 혼내 줄게. 응? (어깨 붙잡고) 랑아.
이랑 (확 뿌리치는) 그만 좀 해!!

우산, 바닥에 나뒹군다. 여희가 눈물 그렁그렁해서.

여희 나한테 화났어? 아님 화풀이 할 데가 필요한 거니?
이랑 열 받아서 그래. 너 때문에!
여희 내가 뭘 잘못했는데?

이랑 부모한테 버림받고, 형제한테 버려져서 수백 년을 혼자 떠돌았어! 난 그냥 그것들 '얼룩' 같은 거였다고!

여희 (아프게 보면)

이랑 짜증나서 사람을 막 죽였거든? 마적단이 돼서 약탈하고, 불 지르고. 그게 일상이었어! 근데….

여희 (망설이는 이랑에게) 근데 뭐?

이랑 네가, 니들이 자꾸 날 약하게 만들잖아! 기분 나빠. (자기 가슴을 톡톡 치며) 여기가 간질간질해서 세상이 그런대로 살 만하다고. 나란 놈한테도 따뜻했다고. (울컥해서) 그런 거지 같은 기분 드는 거 싫다고!

여희 그래서? 결론이 뭐야?

이랑 (눈물 삼키며, 작정한 듯) 난 이제 아무도 필요 없어. 너도, 이연도, 마적단도 전부. (하고, 돌아서는데)

여희 겁쟁이.

이랑 (서늘하게) 뭐?

여희 원래 쌩까는 게 젤 쉬워! 혼자 헤어지고, 혼자 삭제하고! 세상에서 젤 편한 방패 쓰지 말고. 차라리 맞짱 뜨란 말이야! 마적단 두목답게!

이랑 너 따위가 뭔데 함부로 떠들어?! 네가 뭘 안다고….

여희 나 따위 아니고. 함부로도 아냐. 우리 입 맞췄고… 나, 너한테 시집갈 거니까.

이랑 !!!!!

여희 (왈칵 끌어안으며) 그러니까 너 이제 아무 데도 못 가.

쏟아지는 비를 맞으며, 여희에게 안겨 있는 이랑. 소리 없이 눈물을 흘리고 있다.

#20 묘연각 / 홍주의 방 (밤)

이연과 홍주, 폭탄 같은 민원 처리에 완전히 녹초가 됐다.

이연 아직도 남았다고?! 우리 내일 마저 하자. 나 김장 후유증.

재유 저분들 잠자리는 어떡할까요?

이연 재네 어차피 24시간 안 자. 절대 박대하지 말고. 분노 조절 장앤가 싶을 정도로 화가 많은 게 수호신들이야.

신주와 재유, 밖으로 나가 잡신들 해산시킨다. 뉴도가 그 틈에 끼어 있다.

이연 좀 이상하지 않니?

홍주 뭐가?

이연 누가 꼭 작정이라도 한 것처럼 수호신들을 노리는 거 같아서. 갑자기 사라진 신들도 한 둘이 아니고.

홍주 내가 재유를 시켜서 뭘 좀 알아보고 있었는데. 그 너구리 부부 알지?

이연 (인상을 팍) 알다마다.

홍주 얼마 전에 경성 뒷골목에서 납치됐어.

이연 납치? 누구한테?

홍주 총독부 짓이야. 경무국장 가토 류헤이. 놈이 무슨 실험을 하고 있대.

이연 (!!) 가토? 어디서 들어봤는데.

인서트 플래시백

'기억해 둬라. 내 이름은 가토 류헤이. 다시 만나게 될 테니.'

이연 (깨닫고) 그때 그놈이구나!! (진지해져서) 엎어 버릴까? 조선 총독부.

홍주 놈들을 죽이면? 그 다음엔? 새로운 총독, 새 경무국장이 오겠지.

이연 또 싸우면!!

홍주 누가? 갈 날이 일주일도 안 남은 네가?

이연 (사실이다. 말문 막히는데)

홍주 잊지 마. 넌 이 시대에 '초대받지 않은 손님'일 뿐이야.

#21 오복 양품점 (밤)

이랑이 젖은 옷 갈아입고 나온다. 여희도 새 옷으로 갈아입었다.

이랑 이거 막 주워 입어도 되니?

여희 내 월급에서 까지 뭐.

이랑 근데, 원래 말투가 그렇게 거칠었나?

여희 말리지 마. 나 이제 곧 미세스 마적단이야.

이랑이 '픽' 웃는다. 수건으로 여희의 젖은 머리카락 부드럽게 닦아 주며.

이랑 나한테 시집오지 마라.

여희 왜??

이랑 나 죽으면 혼자되잖아.

여희 (씩씩하게) 너 안 죽어. 내가 저승사자랑 싸울 거야.

이랑 (어이없는 듯) 든든하네.

시간 경과되면, 이랑 어깨에 기대 재잘재잘 이야기하는 여희. 그런 여희를 바라보는 이랑의 시선 애달프다. 살고 싶어졌다. 처음으로.

#22 묘지 (밤)

무영이 청동 거울 위에 '검게 변해 버린 형의 유골'을 묻고, 흙을 다진다.

그 위로, 자신의 손바닥 베어 피를 흩뿌린다.

그러자 짐승처럼 '그릉' 대는 소리 들린다. 묘지 한쪽에 묶여 있던 '미스 조선'이다.

무영 피 냄새를 맡았구나? (자기 손바닥 보여 주며) 이건 먹는 거 아냐.

미스 조선 (호흡 거칠어지는데)

무영 (상냥히) 보채지 마. 이것만 끝나면 마음껏 먹여 줄게.

시간 경과되면, 청동 거울과 뼈를 묻은 자리 조심스레 파내는 무영.
뼈는 간데없고, 거울만 남았다. 거울의 흙을 털어 낸다. 그 눈시울 뜨거워진다.
이내 거울이 출렁이나 싶더니 그 속에 죽은 '형의 얼굴' 떠오르기 시작한다!!

#23 묘연각 / 재유의 방 (밤)

재유가 방 걸레질 중이다. 신주는 등 돌리고 앉아 아내에게 편지를 쓴다.

부두목 (편지 훔쳐보고) '사랑하는 여보야, 나는 자기 생각에 잠을 못 자요.'
신주 (편지 숨기며) 죽을래?!
부두목 (히죽) 꼴에 여자도 있고. (툭 치는) 제법이네?
재유 (걸레질 하며) 다리 좀 들어 보세요.

부두목이 다리를 반쯤 들더니 거침없이 방귀를 뀐다. 하필 재유가 걸레질하던 쪽.

재유 (단호하게) 교양 없이 뭐 하는 짓입니까.
부두목 (뱃속이 심상치 않다) 왜 이러지? 배가 부글부글.
신주 (신음하며) 어? 나도!

#24 묘연각 / 측간 (밤)

신주와 부두목, 급히 측간으로 달려왔다. 지붕은 뚫려 있고, 사면만 막힌 간이 변소.
서로 먼저 가려고 몸싸움한다. 부두목이 먼저 뛰어든다.
시원스레 볼일을 보는데 '정전기라도 일어난 듯' 머리카락 한 움큼 쭈뼛 선다.
손으로 머리카락 쓸어내린다. 또 다시 쭈뼛 선다.
부두목 눈에는 보이지 않지만, 등 뒤에 하얀 소복!
'섬뜩하게 긴 손톱'이 엄청난 속도로 그 머리카락을 세고 있다!
신주가 문 '쾅쾅' 두드린다! '빨리 나와!!' 하는 소리.
이번에는 신주가 볼 일을 본다. 끝나고 바지춤 추스르는데 어깨가 묵직하다.
어깨 두드리며 '어우 어깨야… 김장 때문인가?'
그런데! 신주는 모르지만, 소복 여인이 '목마'를 타듯 그 어깨에 앉아 있다!

신주 (나가면 재유가 기다리고 있다) 재유 씨도?

재유 (복통 꾹 참으며) 아무래도 저녁에 먹은 조개가 상했나 봐요.

시간 경과되면, 재유가 홀가분한 얼굴로 변소에서 나온다.
꽃을 꺾어 와서 변소에 매단다. '이러면 악취가 좀 가시려나?'
그 순간! 밑에서 '여자 손'이 '스르르' 나와 재유 발목을 붙든다!
변소 외경에서 '악!!' 단말마의 비명과 함께 '풍덩-' 하는 소리 들린다!

#25 묘연각 / 정자 (밤)

이랑이 돌아왔다. 정자에서 잡신들이 도박을 하고 있다. 습관적으로 기웃대는 이랑.

이마에 '작은 뿔'을 단 풍채 좋은 사내가 도박판의 주인.

주위에 크고 작은 양초 잔뜩 불 밝히고, 화투 패와 간이 칩 쌓여 있다.

조금 떨어진 곳에서, 뉴도가 이랑을 주시하다 가까이 다가온다.

뉴도 한 판 해 볼래?

이랑 난 됐어. (하고, 돌아서려다가) 판돈이 어떻게 돼?

뉴도 돈이 아냐. '독각귀' 김 서방이 벌이는 노름판이잖아.

자막 독각귀(獨脚鬼) - 도깨비의 옛말

이랑 저 자가 독각귀라고? 돈이 아니면 뭔데?

뉴도가 뭔가 귀띔하면, 이랑의 눈빛 돌변한다.

이내 작심한 듯 정자로 올라서는 이랑 모습에서.

#26 묘연각 / 매난국죽의 방 (밤)

매난국이 새알처럼 생긴 둥근 떡을 빚는다. 죽향이 뒤늦게 방에 뛰어 들어온다.

죽향	재유 오라버니가 측간에 빠졌다면서요?!
국희	(웃음 꾹 참고) 평소에 그리 깔끔을 떨어대시더니….
난초	너도 앉아서 똥떡 좀 빚어.
죽향	똥떡이요?

자막　똥떡 - 재래식 변소에 빠졌을 때, 액운을 쫓기 위해 만들어 먹던 떡

매화　일종의 액막이 떡이야. 측간에 빠져서 앓기 시작하면 무당 굿발로도 안 낫는 대잖니.

#27　묘연각 / 재유의 방 (밤)

재유가 시름시름 앓아누웠다. 신주와 부두목이 코를 틀어막고 간호 중이다.

신주	(똥떡 챙겨 주며) 이것 좀 들어봐요. '나이 수'만큼 먹으래요.
재유	(힘없이 오물오물)
부두목	어우 냄새… 진돗개 말고 똥개가 돼 버렸네.
재유	('크흑', 애타게 옷깃 붙들고) 사장님한테는 말하지 말아 주세요. 절대.
부두목	걱정 붙들어 매시오. 이래봬도 입 무겁기로 소문난 놈이니까.

#28　묘연각 / 홍주의 방 (밤)

곧바로 홍주가 경악한 얼굴로 되묻는다.

홍주　　측간에 빠졌다고? 어쩌다?

부두목　　지 말로는 밑에서 누가 발을 쑥 잡아 당겼다는데. 창피해서 하는 얘기죠. 요지는 냄새가 심하니 방을 하나 내주시면….

홍주　　(뭔가 석연찮다) 너, 닥치고 앞장 서. (하고, '양산' 챙겨 든다)

#29　　묘연각 / 측간 (밤)

양산 접어 들고 나타난 홍주가 측간 문을 열어 본다. 안은 텅 비어 있다.

홍주　　(부두목에게) 태워.

보면, 광주리에 '목화 꽃' 담겨 있고, 미리 가져온 화로에 불붙어 있다.

부두목　　목화는 왜요?

홍주　　까라면 까라 좀. (목화 태우면) 집어넣어.

화로를 측간에 밀어 넣고 문을 닫는다.
잠시 후, 안에서 '아아악!!' 하는 소리 들린다!
홍주가 다시 문을 열면, 냄새에 몸부림치는 소복 여인 보인다!

여인　　(악을 쓰며) 들어오지 마!! (하며, 흙덩이처럼 뭉친 오물을 던진다!)

짐작했단 듯 양산을 펴서 여유 있게 막아 내는 홍주!
부두목 몸에 오물 하나 맞았다! 금세 닿은 부위 살이 시커멓게 변한다!

부두목 (호들갑을 떨며) 뭐야 이게?!

홍주 뭐긴 뭐야, 측간 오물이지. 그거 맞으면 부정 탄다.

여인이 계속해서 오물 투척한다! 홍주는 하나도 안 맞고 다 피했다!
오물이 동이 났다! 여인이 변기 속에 손을 집어넣는다!
그 틈을 타서 홍주가 그 머리채를 잡아끌고 나온다! 발악하는 여인! 꽤 미녀다!

홍주 (죽어라 버둥거리는데) 아우 성질머리 하고는! 너 '측신'이지?

자막 측신 - 민속 신앙에서 변소를 지키는 여신

부두목 (홍주 돌아보며) 측신이라고요?! 생전에 패악질 부리던 첩이 죽어 측신이 된다더니 과연!

여인 (그 뒤통수 보자마자) 놔!! (홍주 뿌리치고, 부두목에게 달려들어 머리카락 세기 시작한다!)

부두목 악!! 당최 뭐 하는 거요?

홍주 냅둬. 머리카락만 보면 끝까지 세야 직성이 풀리는 게 측신이야.

여인 (헷갈린다) 너 때문에 까먹었잖아! 이 계집애야!

홍주 (얼굴 살벌해진다. 주먹 꽉 쥐고) 뭐? 계집애?

#30 묘연각 / 정자 (밤)

잡신들 구경하는 가운데, 이랑이 독각귀와 노름을 하고 있다.
종목은 '섯다'
옆에 독각귀의 부하 둘이 붙어 있다.
이랑 앞에 큰 양초 8개와 작은 양초 2개 놓여 있다. 82년, 이랑의 수명이다.
첫 승패가 났다. 화투 패 내려놓고, 머리 쥐어뜯는 이랑.

독각귀 (신나게 물구나무서서) 이겼다! 50년 내놔!

큰 양초 5개 우르르 꺼진다! 단숨에 50년 수명이 날아갔다!
독각귀 부하들 '역시 독각귀님이야!' 하며, 박수 '짝짝' 친다.

이랑 (무섭게 굳은 얼굴로) 한 판 더 해.

독각귀 잠깐! 야참 좀 먹고!

방망이로 바닥을 '쿵' 내리치면, 메밀묵과 막걸리 튀어나온다.

독각귀 (우악스럽게 먹으며) 메밀묵! 내 사랑 메밀묵!

잡신1 (슬쩍 손 뻗는) 나도 하나만!

독각귀 (빰을 퍽 치고) 내 거야!!

잡신1이 빰에서 손을 떼면 얼굴에 '커다란 혹' 붙어 있다.
'캬하하하하!!' 호탕하게 웃어 젖히는 독각귀. 다시 화투 패 섞기 시작한다.
촛불에 비친 이랑 얼굴, 불안하게 일렁거린다!

#31 묘연각 / 측간 (밤)
측신이 공손히 무릎 꿇고 앉아 있다. 그새 몇 대 얻어터진 모양.

홍주 내 집에서 뭐 하는 거야?
여인 와 보니까 마침 가택신도 없고 해서….
홍주 우리 측간에 빌붙을 작정이었다? 재유는 왜 자빠트렸어?
여인 (얼굴 붉히는) 간밤에 그이가 꽃을 갖다 주지 뭐예요? 너무 오랜만에 사내에게 꽃을 받은지라 영원히 함께하고 싶어서.
부두목 저는 이 사랑 응원하겠어요!
홍주 (부두목 뒤통수 까고, 측신에게) 나가.
여인 (매달리는) 저 여기 깃들게 해 주심 안 돼요?
홍주 약 팔지 마. 난 수호신 안 키워. 복을 내렸다 화를 내렸다, 니들 변덕을 내가 모르니? 끌어내.
여인 잠깐만요! 저를 거둬 주시면 '보물'에 대해 말해 드릴게요!
홍주 보물??
여인 금광 부잣집에 사는 가택신들한테 들었어요! (목소리 낮춰서) 백두대간 산신이 '수호석과 금척'을 가지고 있다고.

홍주 뭐?!!

#32 묘연각 / 뜰 (밤)

이연이 방을 나선다. 부두목이 부리나케 뛰어오더니 다짜고짜 손 붙잡고!

부두목 두목님 형님! 큰일 났어요!

이연 (끌려가며) 뭔데??

부두목 두목이 내기 도박을 하셨어요!

이연 (혀 끌끌 차는) 걔 그거 병이라니까. 얼마 잃었대?

부두목 돈이 아녜요!

모퉁이 돌기 무섭게, 경악하는 이연!

이랑이 기둥에 기대 숨을 몰아쉬고 있다! 다 죽어 가는 모습으로!

이랑 앞에 거의 타 들어간 앉은뱅이 양초 하나 가물거린다!

이연 너! 꼴이 왜 이래!!

이랑 (양초 가리키며) 내 남은 수명이래. 하루도 안 남았어.

이연 (분노로) 누구 짓이야!!!

#33 묘연각 / 정자 (밤)

이연이 단숨에 정자로 뛰어왔다! 다짜고짜 독각귀의 노름판 엎어 버린다!

독각귀 야!! 이 버르장머리 없는 새끼야!

이연 닥치고 내 동생 돌려놔!

독각귀 동생??

뉴도 아까 그 구미호.

독각귀 아… (버럭) 독각귀가 땄어!!

이연 (칼 겨누고) 내놔. 얼마 남지도 않은 수명, 네가 뭔데 그걸 뺏어!!

독각귀 내기는 내기야!

이연 (미쳐 버릴 것 같은 심정으로) 죽여 버린다!

독각귀 죽여 봐! 그런다고 네 동생 명줄 돌아오나!

부하1 (존경의 눈빛으로) 역시 위풍당당!!

부하2 (이연에게 깐족) 독각귀님은 겁먹지 않아!

독각귀 (부하들 의식하듯 발랑 드러누워) 해 봐! 찔러 보라고!

이연 ('쾅!' 놈의 얼굴 옆으로 아슬아슬하게 칼을 꽂고) 원하는 게 뭐야. 뭐든지, 다 줄 테니까 재 수명 돌려놔.

독각귀 (강아지풀 입에 물고, 발랄하게 누워서) 독각귀랑 노름해라. 네가 이겨서 따 가면 되잖아.

이연 (이를 악물고) 나는, 노름 안 해.

독각귀 그럼 어쩔 수 없고.

독각귀가 앞구르기로 일어난다. 부하들이 재빨리 노름판 다시 주섬주섬 편다.

#34 묘연각 / 뜰 (밤)

부두목, 촛불 꺼질까 손으로 막아 주며 '어떡해! 우리 두목 어떡해!'

이랑 시끄러워. (담담히) 나 없으면 마적단은 네가 이끌어라.

부두목 (애타게) 두목 죽지 마세요! 우리 같이 경성 땅 평정하기로 했잖아!

이랑 징징대지 말고. 심부름이나 하나 해 줘.

부두목 달려 나가면, 이연이 와서 이랑을 매섭게 질책한다.

이연 왜 그랬어? 응? 왜 저 따위 내기에 함부로 목숨을 걸어?!

이랑 내 목숨이야. 내 마음대로 쓰는 게 뭐?

이연 미련한 놈. 난 몰라! 네가 벌인 일이니까 네가 책임져!

이랑 이제야 본색이 나오네. (시니컬하게) 그래. 이게 너였지.

이연 허구한 날 아프고, 다치다 못해, 지 손으로 명줄까지 깎아 먹어! 내가 네 뒤치다꺼리를 얼마나 더 해야 되니?!

이랑 너 때문이야! 날 이렇게 만든 건 너라고!

이연 대체 왜 이 모양이니 넌?! 제발! 좀 제대로 살아가면 안 돼?! 나 어떻게 가라고… (울컥해서) 젠장.

이연이 돌아서서 터져 나오는 눈물을 '꾹' 참는다.

이랑　너 울어? (충격으로) 네가… 나 때문에?

이연　(눈물 확 닦으며) 안 울었어!

이랑　(잠시 그 뒷모습 보다가) 죽기 싫어서 그랬다. 나도… 살고 싶어서.

이연　(!!!) 너 그게 무슨 소리야?

이랑　무슨 소린지는 네가 더 잘 알지 않나?

'이랑이 진실을 알고 있다?!' 이연의 말문 '턱' 막힌다!

#35　묘연각 / 매난국죽의 방 (밤)

국희가 부리나케 뛰어와 방문 벌컥 열고 '이연님이 목숨 걸고 내기 도박을 한대!'

'뭐?' 방에서 팥죽을 먹던 기생들, 사색이 되어 일어선다.

#36　묘연각 / 정자 (밤)

매난국죽이 달려왔다. 이랑은 물론, 뉴도와 잡신들 지켜보는 가운데. 이연이 독각귀와 마주 앉았다. 독각귀 뒤로 무수히 많은 촛불, 불 밝히고 있다.

이연　(서늘하게) 시작해.

독각귀　그전에 가진 것부터 확인해야지.

독각귀가 손가락을 '딱' 울리면, 이연 뒤로 '52년의 양초' 불 켜진다

독각귀 에게!! 산신 수명이 왜 이것뿐이래? 난 이만~~큼이나 있는데!

이연 (꼿꼿하게) 인간 여자랑 같은 날 죽기로 돼 있거든.

이랑 (처음 알았다. 속상한 마음에) 저 한심한 놈.

독각귀 (간이 칩 건네며) 자, 쉰 두 개.

첫 판이 시작됐다. 독각귀가 패를 돌린다. 동시에 패를 확인한다.

독각귀 (칩 걸고) 난 10년!

이연 (별 고민도 없이) 받지.

동시에 패를 깐다. 매난국죽이 탄식한다! 놈이 이겼다!
이연의 등 뒤에서 10년짜리 큰 양초 '훅' 꺼지고, 놈의 초에 새로 불이 켜진다!
부하들이 '독각귀! 독각귀!' 연호한다.

독각귀 (손가락질 하며) 방금 10년 날아갔다!

이연 (흔들림 없이) 계속해.

두 번째 판이다. 둘 다 패를 확인하고 판돈을 건다. 이번에는 15개(15년).

그런데 이연이 또 졌다! 독각귀의 부하들이 '옳거니!!' 신나서 추임새 넣는다.
지켜보던 이랑, 사색이 된다. 와중에도 이랑의 가느다란 양초 계속 녹아내린다.

독각귀 (칩 쓸어 가며) 산신보다 독각귀가 노름 잘한다! 막 똥줄이 타지?
이연 (픽 웃는)
독각귀 웃어?? (혹시나 해서 시험하듯) 네가 섞어 볼래?

이연이 패를 섞기 시작한다. 서툰 손놀림. 화투 패 '우수수' 흩어진다. 뉴도가 '픽' 웃으며, '아이고. 저 양반은 노름을 안 해 봤네.' 잡신들도 수런댄다.
'저런 솜씨로 목숨 건 노름판 뛰어든 겨?' '오늘 여기서 송장 치르겠구먼.'

독각귀 옜다! (15개 걸며) 또 15년이다! 쫄았지?
이연 (가만히 칩 매만지다가 밀어 넣는) 받지.
독각귀 이번에도 지면 도합 40년이야!
이연 (담담한 얼굴로) 까.

독각귀가 신나게 패를 깐다! 그런데 막 패가 뒤집히려는 순간! 이연이 놈의 손목 붙들고 칼을 내리 꽂는다! '아아아악! 내 손!!' 독각귀의 비명!
지켜보던 이들 경악한다! 부하들이 '독각귀님!!!'

아랑곳 않고 잘린 손바닥 뒤집어 보는 이연!
피는 한 방울도 나지 않고, 그 속에 '숨겨 둔 화투장' 드러난다!

이연	(화투장 들어 보이며) 3광이네?
독각귀	내 손 내놔!!

기생들도 분노한다. 매화가 '속임수를 썼어! 저 나쁜 놈!!'

독각귀	이번이 처음이었어! (우는 척) 진짜야 믿어 주라!
이연	웃기지 마.
독각귀	한 번만 봐줘. 응? 한쪽 손이 없으면 노름을 못 한단 말이야!
이연	(잠시 생각하고 작심한 듯) 지금까지 게임은 무효야.
독각귀	그럼 그럼!!
이연	이제부터 제대로 겨뤄서 내가 이기면, 내 동생은 물론, 저 잡신들한테 뺏은 수명도 전부 돌려줘라.
잡신들	(놀란 얼굴로 술렁술렁)
이연	가난하고 힘없는 신들이지만, 엄연히 수호신. 너 같은 게 좌지우지할 목숨 아냐. 대답해.
독각귀	(인상 팍 쓰고 고민하더니) 에라 모르겠다. 덤벼!!

이연이 독각귀의 손 돌려주고, 잃었던 칩을 '싹' 챙긴다.
독각귀의 손 제자리에 붙었다. 이제부터가 '진짜 본 게임'이다.

#37 묘연각 / 형제의 방 (밤)

같은 시각, 재유가 빠르게 주인 없는 방을 뒤진다. 홍주가 옆에서 지켜보며.

홍주 연이는 뭐 하고 있니?

재유 독각귀랑 노름하고 계십니다.

홍주 제정신이야 뭐야? 독각귀랑 노름해서 이긴 놈을 본 적이 없는데!

재유 (뒤지다 돌아서서) 살살이 뒤졌지만, 수호석, 금척은 안 보입니다.

홍주 걔가 보기보다 신중하다니까.

재유 더 찾아볼까요?

홍주 아니. (고약하게 웃으며) '연이 스스로' 내놓게 만들면 돼.

#38 묘연각 / 정자 (밤)

독각귀와의 승부 다시 시작된다. 이연의 촛불도 처음과 같은 52년.

이연이 패를 섞고 돌린다. 신중하게 패 확인한다. 나쁘지 않다. 그런데!

독각귀 (칩을 싹 밀어 넣으며) 이거 전부!!!

이연 (!!) 시작부터 세게 치네?

독각귀 이제 모 아니면 도야! 독각귀 화나면 무섭다!

부하들 무섭다! 무섭다!

이연 (망설이는데)

독각귀 이거 받으면 (자기 양초와 이연 양초 가리키며) 내가 가진 게 훨씬 많으니까 같은 값으로 쳐줄게!

이연 (!!!) 둘 중 하나는 이 자리에서 죽는단 말이네?

이랑, 사색이 됐다. 잡신들도 긴장했다. 국희가 눈 가리며 '난 후달려서 못 보겠어!!'

이연 (고민하다가) 난… 죽어.

동시에 패 뒤집는다! 그런데 놈의 패는 '망통'이다!

이연 (기가 차서) 그런 거지 같은 패로 올인을 해?!

독각귀 그러게 받지 그랬어? (히죽) 네가 이긴 판인데?

이연이 이를 악문다. 다음 판 시작됐다. 이번에도 독각귀가 먼저 배팅한다.

독각귀 (귀엽게) 전부!

이연 넌 무조건 올인이야?!

독각귀 내 맘이야.

이연(E) (놈의 표정 읽으려 애쓰며) 젠장. 패가 나쁘진 않지만, 올인을 하기엔 리스크가 너무 커. 어떡하지….

독각귀 독각귀 발 저린다! (코에 침을 묻히며) 빨리 해!

이연 (잠시 생각하고) 난 죽어.

그런데 까 보면 또 이연이 이긴 패다! 독각귀가 배를 잡고 웃는다!

부하1 산신 소심하다!

부하2 산신 겁먹었다!

게임 계속되면서 시간 경과된다. 이연은 눈에 띄게 초조해진 모습.
네 번째 판 시작됐다. 독각귀가 또 전부 걸었다.

이연(E) (패를 보며) 이번엔 해 볼 만한데… 걸어 버릴까.

독각귀 받을 거야 말 거야?

이연(E) (보면, 독각귀가 초조하게 발을 떨고 있다) 문제는 저게 페이크냐 아니냐는 건데… 아냐. 이번엔 죽자. 한 번만 더 죽고…. (하는데)

정자 밑에서 기생들, 비명을 지른다!
이랑이 쓰러졌다! 기생들, 이랑을 부축한다! 이랑 촛불은 다 녹아서 꺼지기 직전!

이연 (벌떡 일어서서) 랑아!!

독각귀 (서늘하게) 경고하는데, 자리 뜨는 순간 파투야. 두 번은 기회 안 줘.

이연 (미칠 것 같다. 그 자리에서 이랑에게) 랑아. 형이 꼭 구해 줄 테니까! 조금만, 조금만 더 버텨 주라!

이랑 (먹먹해서) 저 멍충이. 한 번을 못 이겨 놓고 큰 소리는….

이연(E) (마음 가다듬고 앉아서) 승부는 단판이다. 내가 지면… (눈 질끈) 나도, 이랑도 여기서 죽는다.

독각귀 (답답) 받을 거야 말 거야?

'걸어라! 걸어라!' 부추기기 시작하는 뉴도. 잡신2가 걱정스런 얼굴로 '괜찮을까?'
'명색이 산신인데 배포가 있지! 같이 응원들 합시다!' 하는 뉴도를 따라 다들 '걸어라! 걸어라!' 외친다.
'받지 마. 받으면 안 돼!!' 이랑 목소리는 파묻혀서 들리지 않는다.

뉴도(E) 저 정도 체급의 요괴는, 미리 제거하는 것도 나쁘지 않지.

이연 (고요해진 얼굴로) 그래. (칩 전부 밀어 넣으며) 어디 한 번 가 보자.

마침내! 양쪽 다 목숨을 걸었다!
독각귀도 제 손의 패를 확인한다! '씩' 웃는다! 이번에는 '진짜 좋은 패'다!
2분할 CG로 각각의 점수 보인다! 무조건 독각귀가 이기는 패다!

독각귀 이제 깐다. (이길 자신 있다. 싱긋) 후회 안 할 자신 있나?

이연　　원래 후회 같은 거 잘 안 해.

독각귀　　하나. 둘. 셋.

동시에 패를 깐다! 구경꾼들 사이에서 신음과 탄식 터져 나온다! 이랑이 새파래져서 '졌어?!'
그런데 이연의 패가 38광 땡으로 바뀌어 있다! '이겼다!!!' 환호 소리!
독각귀 등 뒤의 촛불 '우르르' 꺼지기 시작한다!
뉴도가 눈에 새겨 넣듯 이연을 돌아보며, 은밀히 자리를 뜬다.
이랑이 가슴을 쓸어내린다. 그런 이랑을 마주 보며 눈부시게 웃어 보이는 이연.

#39　　묘연각 / 정자 앞 (밤)

독각귀와 부하들, 정자 아래 무릎 꿇고 앉아 있다. 부하들 이연에게 눈을 흘기는데.

독각귀　　(얌전해져서) 살려 주셔서 고맙습니다. (부하들에게) 야!

부하들　　(연신 절하며) 고맙습니다! 고맙습니다!

독각귀　　이제 착하게 살게요.

이연　　노름 안 돼. 아무나 붙잡고 씨름도 하지 마.

독각귀　　옙!!

우렁차게 답하고 부하들과 함께 꽁지 빠지게 달아난다.

잡신들 쭈뼛거리며 다가와 이연에게 고개를 숙인다. '고맙소.' '고맙습니다.'

이연 됐고. 이제 탈의파 할멈 그만 괴롭혀.

잡신2 헌데 어찌 우리 수명까지 찾아 주셨소?

이연 토착신들한테 어지러운 시대야. 앞으로도 그럴 거고. 살아남으려면 스스로 설 자리를 만들어라. 바뀐 세상에서, 인간들과 더불어 살아.

#40 오복 양품점 (밤)

은신처에 모인 멤버들 뒤숭숭하다. 은호가 국장에게 받은 패물 보이고.

신주 이게 총독부에 있었다면, 제가 만난 조직원한테 뭔 일이 생긴 거죠?

은호 (마음 급해서) 연락 안 됐어요?

우렁각시 그 친군 물론이고, 경성에 있는 연락책들도 죄다 지하로 숨어 버렸어.

현의옹 대체 어디까지 노출된 거지?!

우렁각시 '폭탄'은 어떡하죠? 만주에서 지시가 올 때까지 기다려야겠지?

은호 시간이 없어요. 총독부 움직임도 예사롭지 않고. 만에 하나 양품점이 발각되기라도 하면.

현의옹 설마, 거사를 진행하잔 말이야?! 이 인원으로?

우렁각시　최소한으로 움직이는 게 나을지도 몰라요.

은호　일단 시간, 장소를 알아볼게요.

일동, 해산한다. 우렁각시가 나가며 은호에게.

우렁각시　몸조심해야 한다. (신주에게) 신주야. 은호를 지켜 주렴.

은호　(마지막으로 나가는 신주 붙잡고) 오늘은 꼭 답을 들어야겠어. 구신주. 네 정체가 뭔지.

신주　그게 무슨 말씀이신지…. (하는데)

은호　나 장산범한테 잡혀갔었어. 자칭 '산신'도 만났고. 총 맞고도 안 죽는 내 동지에 대해서, 이제 알아도 되지 않을까?

#41　조선 총독부 (밤)

그 시각, 경무국장이 녹차를 마시며 은호 아빠와 독대하고 있다. 은호 아빠의 언성 높아진다.

아빠　뭐? 누구랑 재혼을 하겠다고?

국장　(태연히) 타와라 긴코. 제 처제 말입니다.

아빠　자네 제 정신인가?! 우리 긴코한테 재취 자리라니!

국장　이걸 보면 생각이 좀 바뀌실 겁니다. (밖에다 대고) 들어와.

정 형사가 재갈 문 사내를 끌고 들어온다. 포승줄에 묶인 채 꿇어 앉은 그 얼굴.

신주가 패물 건네준 조직원이다. 이미 모진 고문을 받은 몰골.

정 형사 만주에 본거지를 둔 무장 단체, 광복 의용대의 조직원입니다. 얼마 전 경성역 폭탄 사건도 이놈들 짓이지요.

국장 저자가 갖고 있던 물건이에요.

국장이 건넨 서류 가방 열어 보면, 자기 집 패물이다.

아빠 우리 집을 턴 게, 저놈이라는 건가?

정 형사 저희도 그렇게 생각했는데. (편지 보여 주며) 이게 좀 묘하더라고요.

아빠 (타자기로 쓴 편지에 '조선 독립을 위해 써 주십시오.' 적혀 있다) 타자기로 썼네?

정 형사 예. 경성에 이 귀한 타자기를 쓸 수 있는 이가 몇이나 될까요.

아빠 (피식) 겨우 이런 걸로 우리 긴코를 엮어 보겠다? (일어나며) 해 봐.

국장 앉으세요. 장인어른. 이제 시작일 뿐인데.

아빠 (차갑게 보면)

국장 '목격자'가 있어요.

정 형사 (한 발 앞으로 나와서) 제가 두 눈으로 똑똑히 봤습죠. 경성역 폭탄 사건 때, 우리 '타와라 긴코 아가씨'를요.

#42 오복 양품점 (밤)

은호가 머리를 한 대 맞은 얼굴로.

은호 여우?! 여우라고?

신주 쉿!! 저희 쪽에선 일급 기밀이에요!!

은호 하… 그래서 그런 말을 했구나. 내가 아는 세상이 전부가 아니라고!

신주 내 말 믿어요? 보통 인간들은 보고도 절대 안 믿는데.

은호 (단단한 눈길로) 난 믿고 싶어. 혹시 '귀신'도 있니?

신주 귀신은 왜요?

은호 (사진 보여 주며) 우리 언니야. 좀 있으면 언니 '기일'이거든. 진짜 제삿밥 먹으러 오려나 해서.

신주 어쩌다 돌아가셨어요?

은호 경무국장 말로는 자살이래. 근데 난 그 자식 안 믿어. 언니 죽던 날, 나랑 창경원에 진달래 구경 가기로 약속했거든.

신주 설마 은호 씨 언니가?!

은호 (단호한 눈빛으로) 난 형부한테 '살해당했다'고 생각해.

#43 묘지 (밤)

무영이 쪼그려 앉아 누군가와 다정히 얘기 중이다.

무영 상상이나 했어? 지금 조선을 왜놈들이 삼켜 버렸다니까. 더 황당한 게 뭔지 알아? 미래엔 조선이 남북으로 갈라져서 우리 고향 백두산도 마음대로 못 가게 돼 버렸어.

이미 거울 속에 또렷이 떠오른 그 얼굴, 무영의 형이다!

무영 형이랑 같이 고향에 가고 싶어. 우리 같이 심은 감나무도 잘 있는지 궁금하고. (어린아이처럼) 그러니까 형. 빨리 일어나.

형 (쇳소리 같은 목소리로) 영아. 내가 완전히 부활하려면 수호석과 금척이 필요해.

무영 알겠어 형. 내가 가져올게.

#44 묘연각 / 형제의 방 (낮)

이연과 이랑, 나란히 툇마루에 앉아 있다. 둘 사이로 부드러운 바람이 분다.

이랑 (이연의 옆얼굴을 가만히 보다가) 어떻게 이겼어?

이연 (3광을 손에 쥐여 준다) 이렇게.

이랑 3광? 너 설마!!

인서트 플래시백

이연이 독각귀의 손을 돌려주기 직전, 독각귀가 숨겨 뒀던 3광을 슬쩍 숨긴다.

마지막 패를 뒤집던 순간, 옷소매 안에 있던 3광을 바꿔치기 한다.

독각귀가 쓰던 수법 그대로다.

이연 형이 노름은 못해도, 배움은 빠르잖니?

이랑 와, 사기 쳤다고 그 자식 손목을 잘라 놓고!

이연 (뻔뻔하게) 원래 내가 하면 로맨스야.

이랑 (픽 웃더니 진지해져서) 말해 줘. 네가 온 미래에서 우리한테 무슨 일이 있었는지.

이연 직접… 볼래?

이연이 방에서 핸드폰을 가지고 나온다. 그 속에 이랑의 마지막 유언.

인서트 플래시백 구미호뎐 16화

'나 곧 죽어. 이럴 때 네가 있으면 당장 나 구하러 달려올 텐데, 어디 비벼 볼 데도 없고. 망했어. (중략) 난 독도 새우로 다시 태어날 거야. 혹시 모르니 새우는 먹지 마.
너도… 꼭 다시 태어나라. 되게 못 생긴 얼굴이면 좋겠어. 그래도 할 수 있으면 꼭 다시 만나자… (눈물 핑 돌아서) 형.'

이연 용서해 줄래? 너는 나를 지켜 줬는데, 나는 너를 못 지켰어.

이랑 (복잡한 얼굴로) 난 그렇다 치고, 넌 왜 그거밖에 못 사는데? 그 인간 여자가 같이 죽재?

이연 내 선택이야. 늙지 않고, 죽지도 않고 무한한 세월을 지나왔잖아. 이것도 나쁘진 않아.

이랑 좋을 건 또 뭐야?

이연 보통 사람들처럼 1분 1초를 아끼며 사는 기분. 그러고 나니까 보이더라. 인생이 얼마나 빛나는 것들로 가득한지.

둘 사이로 햇살 눈부시게 반짝인다. 잠시 말없이 앉아 있다가.

이랑 근데… 울었어?

이연 응?

이랑 나 죽고 울고불고 했냐고.

인서트 플래시백 구미호뎐 16화

이랑이 남긴 동영상을 보고, 소리 없이 오열하던 이연의 모습 짧게 스쳐 간다.

이연 안 울었어. 형은 눈물이 아예 없는 놈이야.

이랑 (멱살을 잡으려) 나쁜 놈.

이연이 달아난다. 뒤를 쫓는 이랑. 그렇게 아이처럼 투덕거리고 있는데.

대문 '벌컥' 열리더니 여희가 눈물 바람으로 뛰어 들어온다. 부두목도 함께다.

여희 랑아!!! (한달음에 달려와 이랑에게 안기며) 죽는 줄 알았잖아!

이랑 안 죽었어.

부두목 거 봐요! 내 그럴 줄 알았어!!

여희 (가냘픈 주먹질하며) 못됐어 진짜! 그래도 마지막에 보고 싶은 게, 내 얼굴이었나 보지?

이랑 (머쓱하게 웃는)

부두목 우리 두목 완전 사랑꾼이야!

이연이 조금 떨어져서 그 모습 바라보고 있다.

이연(N) 할 수 있다면, 여행 가방에 곱게 접어서, 내가 사는 시대로 데려가고 싶었다. (섭섭하면서도 뿌듯한) 헌데, 내 작은 동생은 그새 어른이 돼서 자기 자리를 만들고, 또 저만의 세상을 살아가고 있구나.

#45 몽타주 (밤)

그 평화도 잠시, 용병단이 잡신들을 습격했다!
인적 없는 거리에서, 철융신 목에 밧줄을 걸고, 질질 끌고 가는 뉴도!
우물신이 약수터에서 기침을 토해 내며 '누구야! 누가 독을 풀었어?!' 우시우치보가 손가락으로 V를 그리며 나타난다!
오오가마는 축 늘어진 장승 할아버지를 어깨에 떠메고 걸어간다!

#46 경성 거리 / 골목 (밤)

경성 뒷골목에, 유키에게 당한 독각귀의 부하들 쓰러져 있다.
분노한 독각귀가 '너 죽인다!' 방망이로 유키의 머리 내리친다!
유키의 이마에서 피가 '주룩' 흐른다! '조선 요괴는 죄다 맹물

이네?'

'씩' 웃으며 피를 핥더니, 단숨에 방망이 빼앗고 '퍽퍽!' 사정 없이 독각귀 후려친다!

누군가 유키의 손목을 붙잡는다! 아키라다!

아키라 생포하랬지?

유키 '치-' 힘 조절이 안 되는 걸 어떡해. (방망이 던져 버리더니 애교 있게 팔짱 끼고) 나 일 많이 했더니 배고파. 밥 사주라 오빠.

아키라 (팔짱 빼 버리는) 바빠.

유키 재밌는 소문을 하나 들었는데. 말해 줄까 말까. (다가와서 은밀히) 묘연각에 '보물'이 있대.

시간 경과되면, 이연이 독각귀와 부하들의 시신 내려다보고 있다! 곁에는 이랑!

이연 (독각귀 코밑에 손을 대보고, 심각하게) 죽었어!

신주 (뛰어와서) 우물신! 철융신! 장승 할아버지까지 전부 사라졌어요!!

이연 (끓어오르는 얼굴로) 신주야. 경성 바닥 이 잡듯이 뒤져서 누구 짓인지 알아 와. (하고) 랑아.

이랑 (기다렸단 듯 휘파람을 분다. 부두목 나타나면) 마적단 애들 싹 풀어.

부두목 예!!

이연 (눈 꾹 감았다가, 이랑을 본다. 이랑에게도 생길 수 있는 일이다) 웬만하면 쌩까고 갈려 그랬는데 더는 못 참겠다.

#48 묘연각 / 홍주의 방 (밤)

이연과 홍주가 마주하고 있다. 홍주가 속내를 감춘 얼굴로.

홍주 어디 있니? 수호석이랑 금척.

이연 (속을 꿰뚫듯 보면)

홍주 걱정돼서 그래. 좀 있으면 다들 몰려온다니까? 홍백탈도 총독부도. 휘말리기 싫어. 나.

이연 (납득하는) 오케이. 보물을 가지고 내가 묘연각을 나갈게.

홍주 (눈을 빛내며) 그래서 어디야?

이연이 홍주의 방에 숨겨 둔 '수호석, 금척' 찾아 든다. 홍주의 얼굴 살짝 일그러진다.

홍주 그걸… 내 방에 숨겨 뒀어?

이연 묘연각에서 여기보다 안전한 데가 있나?

홍주 (홀린 듯 보물 바라보다가, 이연을 시험하듯) 그거 나 줄래? (테이블 밑에서, 홍주의 손이 조용히 검을 잡는다!)

이연 (수호석 들어 보이며) 내 시간 여행은 이 수호석에서 시작됐어. 홍주야. 이게 없으면 난 집에 못 가. (허리춤에 찬 검에 손을 대고) 방해하는 놈은 싹 쓸어버릴 거야.

홍주 그게 '나'라도?

이연 너라도.

홍주 (섬뜩하게 웃는) 감당할 수 있겠어?

이연 (보물 챙겨서 일어서며) 나는 반도 호텔로 갈 거야. 천무영이든, 총독부든, 보물을 노리는 놈들한테 똑똑히 전해. 반도 호텔로 오라고. (단호히) 나는 피하지도, 숨지도 않을 거야.

보물을 사이에 두고, 팽팽히 맞부딪친 둘의 시선!
보물을 찾기 위해 묘지를 나서는 무영!
아키라에게 얘기를 듣고 '보물이라….' 입맛을 다시는 경무국장 모습 교차되면서!

8화 끝

반도 호텔

#1 묘지 / 인근 (낮)

무영이 홀로 대금(大笒)을 불고 있다. 구슬프고 힘 있는 소리.
그런데 연주 끝나자마자 뒤에서 손뼉 치는 소리? 흠칫해서 돌아보면, 이연이다!

이연 네 대금 소리는 여전하네.

무영 이연!! 네가 어떻게 여기!

이연 긴 말 생략하고 (싱긋) 일단 좀 맞자.

하더니, 다짜고짜 무영 얼굴에 주먹을 날린다! 무영의 입술 터졌다!
'이 새끼가…' 무영의 말 끝나기도 전에, 단호한 얼굴로 무영을 두들겨 패는 이연!
무영도 반격하면서, 서로 거침없이 주먹질 해댄다!
그러기를 잠시, 둘 다 헝클어진 모습이다! 숨을 몰아쉬며 마주 서서!

이연 기분이 어때? 한때는 있는 힘을 다해 '서로를 일으켜 주던 손'으로 죽자고 서로 두들겨 패는 기분.

무영 (냉소하며) 설교하러 왔니?

이연 확인하러 왔어. 이러면 내 기분이 어떨지. 생각만큼 상쾌하진 않네.

무영 (담담한 진심으로) 피차 마찬가지야.

이연 (태연히) 나 술 한 잔만 주라.

무영 (어이없다) 술??

이연 (앞섶 열어 보이며) 참고로, 네가 찾는 보물은 놓고 왔다.

#2 조선 총독부 / 외경 (낮)

#3 조선 총독부 (낮)

아키라가 경무국장에게 '손님이 오셨습니다.' '누구?'

대답도 하기 전에 사무실로 밀고 들어서는 것, 홍주다. 재유가 묵묵히 뒤를 따른다.

홍주 오랜만이야. 요괴들.

국장 묘연각 사장께서 제 발로 총독부를 찾아 주다니.

홍주 (편히 앉으며) 못 보던 애들 넷이 경성을 휘젓고 다닌다지?

국장 (태연히) 시니가미 용병단이라고 해.

홍주 시니가미? (인상 찌푸리며) '죽음의 신'이란 뜻이네. 마음에 안 들어.

국장 한데, 왜 거기 말고 날 찾아왔을까?

홍주 (픽 웃고) 네가 불러들였잖아.

국장 (감탄하는) 역시 정보통이라더니. 용건이 뭐야?

홍주 난 뭐 용병단이고 자시고 관심 없고. 수호석이랑 금척 찾고 있지?

국장 !! (그런 것까지 알고 있을 줄이야, 아키라와 눈빛 주고받는다)

홍주 그거 갖게 도와주면, 넌 나한테 뭐 줄래?

국장 원하는 게 뭔데?

홍주 묘연각이랑 (재유 가리키며) 내 새끼들은 건드리지 마.

국장 묘연각을 지키기 위해 나랑 손을 잡겠다? 조선의 산신이 뭐 이래?

홍주 (미소) 나는 '지는 싸움'은 안 하거든. (손 내밀며) 딱 한 번만 묻는다. 할래 말래?

국장 (잡고) 현명하네.

손 맞잡은 둘의 눈빛 흥미롭게 빛난다! 재유와 아키라도 서로를 주목한다!

#4 묘지 / 인근 (낮)

이연과 무영, 주인 없는 무덤에 기대, 각자 술 대병을 홀짝이고 있다.

이연 수호석과 금척으로 형을 되살리겠다고? 미친놈.

무영 2020년에 네 동생 죽었지? 그때 네 손에 그 물건이 있었다면, 넌 어떤 선택을 했을까?

이연 (냉큼) 흔들렸을 거 같아. 근데, 난 또 그 순간이 돼도 똑같은 선택을 할 거야. 몸빵 하고, 덕을 쌓으면서 환생을 기다리겠지.

무영 고지식한 놈.

이연 그게 내가 산신이었던 이유니까. 하늘이 두 쪽 나도 선을 지키는 거.

무영 (피식) 돌이 된 몸으로, 수백 년을 죽지도 살지도 못하면 말이야. 그런 건 아무짝에도 쓸모가 없어.

이연 (하자마자) 네가 선택한 길이야. 금기를 어기고, 산을 몰살하면서 그 정도 각오는 돼 있었어야지.

무영 각오는 돼 있다. 그때도, 지금도.

이연 그럼 됐네. (술병 내밀며) 넌 최선을 다해서 나한테 수호석과 금척을 뺏고 니네 형을 구해 봐.

무영 (건배하면)

이연 난 목숨 걸고 보물을 지키고, 너랑 싸울 거다.

무영 우리가 같이 술을 먹는 건, 오늘이 마지막이겠네?

미소로 화답하고, 남은 술병을 '쭉' 비우는 이연. 곧바로 자리 털고 일어서며.

이연 나는 반도 호텔로 갈 거야.

무영 하나만 묻자. (보면) 너한테 난 뭐였니?

이연 (어깨를 으쓱) 알다시피 난 삐뚤어진 어린애였잖니. 나밖에 모르고. 너한테 배웠어. '누군가를 지키기 위해' 싸우는 법을. 너 같은 산신이 되고 싶었다.

무영 (일어서서) 재밌네. 그 시절의 너한텐 항상 빛이 나는 거 같았거든. 넌 겁이 없고, 모든 걸 스스로 결정했어. 네가 내 꿈이었는데.

이연 그래서 우리가 '친구'였나 보지.

숱한 감정이 몰려오는 얼굴로, 잠시 서로를 마주 보는 두 남자. '간다.' 뒤도 안 돌아보고 멀어지는 이연의 뒷모습을, 무영이 오래 바라보고 섰다.

#5 묘연각 (낮)

홍주가 돌아왔다. 재유가 걱정스레.

재유 보물을 총독부에 넘겨주실 겁니까?

홍주 미쳤니? 보물은 '내 거'야.

재유 (기가 막힌다) 그자랑 손은 왜 잡으신 건데요?

홍주 시간을 버는 거야. 내가 보물을 차지하는 동안 좀 자빠져 있으라고.

재유 속았을까요?

홍주 아니. 생각보다 더 강하고 영리한 놈이야. 내가 당할 지도 몰라.

재유 (그 말에) 그 보물이 그럴 가치가 있습니까. 총독부는 물론이고, 이연님, 무영님까지 적으로 돌리면서?

홍주 재유야. 그게 내 손에 들어오면 연이는 집에 못 가.

재유 이연님을… 붙잡고 싶으신 거네요.

홍주 (지긋이 다가가) 뭣하면 말이다. 수호석을 가지고, 우리도 이 지긋지긋한 시대를 떠나, 새로운 세상으로 튀는 거야.

재유 (되뇌듯) 새로운… 세상.

홍주 (서늘하게 웃는) 그러니 지금부터 '태풍의 눈'으로 들어가 보자고.

#6 선우은호의 집 (낮)

'다녀왔습니다.' 은호가 쇼핑백 들고 집에 돌아왔다. 집안 분위기 냉랭하다.

아빠가 혼자 술을 마시고 있다. 식탁 위에 권총 놓여 있고.

아빠 (착 가라앉은 목소리로) 어디 갔다 왔니?

은호 백화점에서 옷 한 벌 맞췄어요. (건네며) 아빠 넥타이도 샀는데.

아빠 (손도 안 대고) 잘 됐다. 네 결혼식에 이거 매고 갈란다.

은호 내 결혼식? 뭔 소리야?

아빠 결혼해. 기자 그만두고.

은호 내가 누구랑 결혼을 해요?!

아빠 네 형부. 식은 이번 주 일요일이다.

은호 미쳤어. 아빠 미쳤나 봐. 언니, 그 인간한테 시집갔다 자살했어요.

아빠 (터질 듯한 분노 삼키며) 대답해 봐라. 경성역에 폭탄이 터져서 군사령관 죽던 날, 너 어디 있었니?

은호　　!!!!!!

아빠　　(은호에게 권총 겨누고) 대답해!!!

은호　　알고 묻는 거잖아. (작심한 듯) 맞아요. 나 거기 있었어!

하자마자, 아빠가 방아쇠 당긴다! '탕!!' 총알은 은호를 비껴가 뒤쪽의 화병 깨트린다!
모든 걸 각오한 듯 은호는 미동도 없다!

아빠　　딸년이 둘만 됐어도, 빗나가지 않았을 거다.

그 소리에, 방에 있던 엄마가 뛰어나온다! 울었는지 눈가 젖어 있다!

엄마　　(남편을 가로막고) 여보! 말로 해요! 제발!!

아빠　　우리 집안에! 만세쟁이는 없다!

분을 못 이기듯 거칠게 총 집어던지고, 나가 버리는 아빠!

엄마　　(울면서) 왜 그랬니?! 널 위해 모든 걸 다해 줬는데… 독립운동이라니! 네가 어떻게 그런 흉악한 짓을 해? (은호를 잡고 흔들며) 아니지? 응? 말 좀 해! 아니라고!!

은호　　(눈 질끈) 엄마 미안….

엄마　　긴코야….

은호　　(담담한 결심으로) 긴코가 아니야. 내 이름은 '선우은호'예요.

'짝!!!!' 엄마가 은호의 뺨을 친다!
엄마가 울며 방으로 사라지면, 얼얼한 뺨을 쥐고 그 자리에 못 박혀 선 은호!
이내 아빠가 던져 버린 권총을 들고, 집을 나선다!

#7 서대문 형무소 / 모처 (밤)

국장이 실험실을 찾았다. 아키라는 이파리 듬성듬성 붙은 나뭇가지 들고 있다.
잡신들 잡혀 있던 옥사 안은 텅 비어 있다. 벽에 '핏자국'만.

국장 실험의 성과는?

아키라 아직은 살아남은 놈이 없어요. 제일 오래 버틴 게 고작 이틀입니다. 전부 고막이 터져서.

국장 '귀소목' 때문이지?

자막 귀소목 - 귀신이 붙어서 휘파람을 부는 나무

아키라 (나뭇가지 살짝 흔들어서 휘파람 소리 들려주고) 예. 귀소목 수액을 주사해서, 놈들 머릿속을 헤집어 놓지요.

국장 문제는, 귀에서 휘파람 소리가 들리는 족족 죽어 버린다?

아키라 (고개 숙이며) 죄송합니다.

국장 (은은한 투로) 만일 실험이 성과를 못 내면 말이다. 다음 실험체는 아키라 네가 될 거다.

아키라 (!!!) 반드시 성공시키겠습니다.

용병단 나타난다. 국장이 아키라에게 물러가라고 손짓한다.

유키 (발랄하게) 부르셨어요?

국장 새로운 임무가 있다. 구미호가 갖고 있는 보물을 가져와.

유키 (애교로) 보물 갖다 드리고, 혹시 그 구미호는 제가 가져도 될까요?

뉴도 (유키 입 틀어막고) 헛소립니다.

국장 네가 가까이서 봤지? 어땠니?

뉴도 머리가 팽팽 돌아가는 놈이에요. 누가 봐도 지는 싸움인데, 순식간에 흐름을 쥐고 흔들더군요.

국장 그자가 조선의 산신이다. 상대할 수 있겠니?

뉴도 (자신 있게) 맡겨 주십시오.

국장 (싱긋) 놈은 '반도 호텔'로 갈 거다.

#8 냉면 가게 (낮)

냉면 두 그릇 시켜 놓고 누군가를 기다리는 이연. 탈의파가 가게로 들어선다.

탈의파 (앉으며, 어이없는 듯) 네가 감히 삼도천 주인을 오라 가라 해?

이연 (상냥히) 냉면 한 그릇 하시라고. (밀어 주며) 먹어 봐, 얼른. (탈의파 마지못한 척 먹으면, 저도 먹고) 어때?

탈의파 (의외로 맛있다) 시원하니 좋다만. (이연을 빤히) 저의가 뭐냐?

이연 삼도천에만 처박혀 있지 말고, 나와서 냉면도 먹고 (창밖 가리키며) 세상을 좀 보시라고. 일본 요괴들이 우리 토착신들 씨를 말리고 있어.

탈의파 (톡 쏘는) 내 천리안은 장식인 줄 아니?

이연 솔직히 말해 봐. 할멈도 미치겠지? 왜놈들한테 짓밟혀서 천지가 쑥대밭이 되는 걸, 앉아서 보고만 있으려니.

탈의파 우리는 인간사에 개입하지 않는다.

이연 그게 원칙이지. 근데 할멈 말대로 난 여기 속한 놈이 아니잖아? (씩 웃으며) 이 시대를 스쳐 가는 나그네.

탈의파 (예감이 안 좋다) 뭔 짓을 하려고!

이연 일본 요괴들, 집에 가기 전에 다 쓸어버릴 거야.

탈의파 (!!) 얌전히 숨죽이고 있다 돌아가면 그만인데, 어찌!

이연 '나만' 할 수 있는 일이니까. 내가 '해야 했던' 일이고. 할멈, 난 이 시대에 빚이 있어.

탈의파 (눈빛 흔들리면)

이연 (일어서며) 그럼 허락한 걸로 안다.

잠시 후, 홀로 남은 탈의파 얼굴에 희미한 미소.

탈의파 저것이었나. '미래의 내'가 연이를 이 시대로 보낸 이유.

#9 경성 거리 (낮)

눈부신 햇빛 아래 '이 풍경도 이제 곧 작별이네.' 중얼거리며 걷는 이연.
이제부터 전면전이라는 듯 흔들림 없는 그 눈빛에서.

자막 D-4일

#10 묘연각 / 형제의 방 (낮)

그날 오후. 이연이 단출한 짐을 꾸리고 있다. 이랑이 옆에서 약과를 먹다가.

이랑 갑자기 호텔로 간다고? 나는?
이연 따라올 필요 없어.
이랑 뭐??
이연 수호석과 금척을 노리고 전부 그리 몰려올 거야. 지금은 나랑 떨어져 있는 게 안전해.
이랑 (하자마자, 먹던 약과를 이연 뒤통수에 '딱!')
이연 (인상 구기고 돌아보며) 왜 때려?
이랑 짜증나. 반쪽짜리 구미호라고 너도 나 무시하니?
이연 내가? (열 받아서) 진심이야?
이랑 근데 왜! 한 번을 나한테 기대는 법이 없냐!
이연 (이랑 속을 알고, 말문 막혔다가) 기대고 싶어. 그러고 싶은데… 넌 여기서 내 '유일한 약점'이야. 네가 또 다치면 나 미쳐.
이랑 네 등에 업혀 다니던 어린애 아냐. 나. (진지하게) 적어도, 내가 갈 곳은 내가 정하게 해 주라.

이연 (망설이는데)

이랑 (버럭) 아, 돌아갈 시간도 얼마 안 남았다며! 나중에 후회하지 말고!

이연 그래 같이 가자! (안고) 마지막 일분 일초까지 내 옆에 딱 붙어 있어.

이랑 (밀어내며) 왜 이래? 징그럽게!

그러고 있는데, 신주가 방문 '벌컥' 연다.

신주 이연님. 갈 때 가더라도 송별회는 하고 가라는데요?

이연 홍주가?

신주 예. (은밀히 종이봉투 건네주며) 그리고 이거. 말씀하신 '일본 요괴들'에 대해 조사한 정보예요.

흥미롭게 봉투 열어 보는 이연 모습에서.

#11 조선 총독부 (낮)

은호가 끓어오르는 얼굴로 경무국장 마주 보고 있다. 국장은 태연하다.

국장 식장은 정해졌고. 드레스는 내가 골라 줄게.

은호 왜 나야? 왜 하필.

국장 난 처음부터 결혼 상대로 '너'를 찍었어. 네 언니가 자처했잖니. 너 대신 시집가겠다고. 어디서 무슨 소문을 들었는지 네 언닌 알고 있더라. 내가 '좋은 놈'은 아니란 걸.

은호 그래서 나 대신 결혼했다고? 언니가?!!

국장 하나뿐인 동생을 지키고 싶었나 보지. 결국 지 목숨도 못 지켰지만.

은호 (매섭게 노려보며) 당신이 죽였지?

국장이 가까이 오라고 손짓한다. 경계하며 다가가면.

국장 (속삭이는) 네 언니는 말이야. '보지 말아야 하는 걸' 봐 버렸어. (미소) 그래서 죽은 거야.

은호 (챙겨 온 권총 꺼내 들고) 죽여 버릴 거야!!!

국장이 순식간에 은호를 제압한다! 총알은 모조리 빗나간다!

국장 (여유 있게 권총을 뺏는) 새 신부가 이런 걸 들고 다니면 쓰나.

은호 (눈빛만은 형형해서) 난 죽어도 너랑 결혼 안 해!

국장 (붙잡은 손에 입을 맞추고) 하게 될 거야.

#12 경성 거리 (낮)

이랑이 차를 세워 놓고 여희를 기다린다. 여희가 울상이 된 얼굴로 나타난다.

이랑	얼굴이 왜 그 모양이야?!
여희	(풀이 팍 죽어서) 가수 선발 대회 예선 떨어졌어.
이랑	네가 왜!
여희	평양 출신 기생이랑, 비누 광고하는 여배우가 뽑혔대. 신인 가수 뽑는다더니, (눈물 훔치며) 치.
이랑	(어쩔 줄 모르다가, 조수석 열어 주는) 타.
여희	나 지금 영화 볼 기분 아닌데.
이랑	영화 말고, 다른 거 보자.

#13 바닷가 (낮)

여희가 아이처럼 달뜬 얼굴로 바다를 바라본다. 이랑은 그런 여희를 보고 있다.

여희	바다다! (깊이 호흡하며) 얼마 만에 바다 냄샐 맡아 보는지!
이랑	그렇게 좋니?
여희	그리웠어. (소라껍데기 귀에다 대고) 꿈에도 귓가에서 파도 소리가 들릴 만큼. (다가와) 어떻게 이런 생각을 다 했어?
이랑	울적하다며. 뭔가 해 주고 싶었는데, 여자가 뭘 좋아할지 잘 몰라서. 여자는 몰라도, 인어는 바다가 그립지 않을까. 내가 가끔, 이연이랑 살던 그 숲으로 돌아가고 싶듯이.
여희	(어색한 듯 얘기하는 이랑을 가만히 안아 주고) 예선 탈락이고 뭐고 다 잊어버렸어. 같이 걷자.

바닷가에 놓인 신발 두 켤레. 살짝살짝 파도에 젖는다.
둘이 맨발로 손잡고 잠시 걷다가.

여희 누구랑 싸운다고?!

이랑 이 땅을 집어삼킨 왜놈들 중에, 요괴들이 섞여 들어왔어. '우리'도 사냥감이 될지 몰라. 이연이랑 같이, 이 싸움을 끝내고 싶어.

여희 꼭 싸워야 돼?

이랑 (담담한 진심으로) 난 너랑 달라서 조선이 싫거든? 반쪽짜리 요괴로 태어나 딱히 좋은 기억도 없고. 근데, 이 전쟁 같은 땅에 '처음으로' 나도 지키고 싶은 게 생겼어.

여희 (그 마음을 알고) 그럼 같이 싸우자.

이랑 (단칼에) 넌 안 돼.

여희 랑아. 너한테 무슨 일 생기면, 난 하루도 못 살아.

이랑 나 지금까지 수도 없이 죽을 뻔했어. 그때마다 살아남았고. 이연이 옆에 있는 한, 나 절대 안 죽어.

여희 형제가 있다는 건 그런 거구나. (씁게 웃는) 나도 가족이 있었는데.

이랑 내가 해 줄게. 가족.

여희 (!!!!) 정말??

이랑 이번 일이 끝나면 마적단 그만두고, 다른 일을 해 볼까 봐. (딴청 부리며) 확 그냥 음반사나 차려 버릴까.

여희 (환하게 웃다가) 어? 내 신발!!

여희가 벗어 놨던 신발 한 짝, 파도에 휩쓸려 가는 것 보인다.
망설임 없이 바다로 뛰어드는 이랑.
이내 무릎까지 적신 채, 신발 주워 들고 눈부시게 웃는다.

#14 묘연각 / 정자 (밤)

이연 일행의 송별회 한창이다. 푸짐하게 상 차려 놓고 다들 즐겁게 먹고 마신다.
홍주가 상석에, 이연과 이랑이 그 옆에 마주 보고 앉았다.
옆 테이블에는 신주와 재유, 매난국죽.

홍주 뭐? 뭘 팔아먹으라고?
이연 묘연각표 브런치. 매출 올리려면 메뉴 다각화하고, 여기가 힙하단 느낌을 줘야 돼. 배달도 해.
홍주 (내키지 않는 듯) 우리 최고급 요릿집이야.
이연 야. 내가 온 미래에선 말이야. 미슐랭 맛집도 배달을 해요.
홍주 (기생들 흘긋) 배달은 누가 하지?
이랑 우리 마적단 애들 데려다 쓰든가. 발 빠른 걸로는 제일이야.
이연 (반색하며) 너 마적단 때려치울 거야?!
이랑 (흥) 그냥. 생각 중이야.
이연 (엉덩이 토닥) 잘 생각했다!

잠시 후, 신주가 모두에게 새로운 게임을 가르쳐 주고 있다.

신주 자, 규칙은 다들 알아먹었죠? 마피아 게임은 하면서 배워야 돼.

이랑 (빠지려고) 난 안 해.

신주 (붙들어 앉히고) 한 번만 해 보시라니까.

매화 근데 마피아가 뭐예요?

신주 뭐랄까. 일종의 '왈패' 같은 건데….

난초 (사색이 돼서) 왈패?! 나 마피아 싫어.

신주 (답답) 나 몇 번을 설명하냐. 그게 아니고 예를 들어서 (홍주를 손짓) 여기가 마피아다 그러면….

재유 ('쾅!' 박차고 일어나서) 저희 사장님은! 절대 마피아가 아니십니다!

신주 (부글부글)

홍주 (환장) 일단 시작해.

신주 다들 엎드리세요. 마피아 게임에 오신 여러분 환영합니다.

신주가 '매화'를 마피아로 지목하면서 어찌어찌 게임 시작됐다.

이연 내 추리로는 (난초 가리키며) 이놈도 범인 같고. (국희) 저놈도 범인 같고. (죽향) 얘도 의심스러운데….

죽향 (억울해서 울먹울먹) 나 아닌데 진짜.

이연 (헉) 울지 마. 너 용의선상에서 빼 줄게. (이랑에게) 너냐?

이랑 (도끼에 손을 뻗는) 싸울래?

신주 (달래며) 그렇게 하는 거 아녜요.

홍주 (의기양양해서) 난 범인을 알았어. (신주 멱살 잡고) 네가 마피아지?

신주 난 사회자잖아요!!

홍주 (우악스럽게 흔들며) 말해! 말하라고!

신주 아, 게임 그렇게 하는 거 아니라고!!

간만에 오순도순 웃음소리 흘러나오는 묘연각이다.
며칠 후면 이연은 이곳에 없다.
문득 목이 '콱' 메는 얼굴로 이연의 옆얼굴을 보다, 술을 들이키는 홍주다.

#15 묘연각 / 정자 (밤)

송별회 끝났다. 이랑은 그새 자리를 떴다. 신주가 '다들 건강하고, 잘 지내야 돼.'
눈물까지 훔치며 기생들에게 인사 건넨다. 기생들도 못내 아쉬운 표정.
정자 밑에서 이연이 홍주에게.

이연 내일 아침 일찍 체크아웃 할게. (다정히) 그동안 신세 많았다.
홍주 마지막으로 한 번만 안아 보자.
이연 (살짝 망설이는데)
홍주 '친구'로서.

그제야 이연이 팔을 벌린다. 따뜻한 얼굴로 서로를 끌어안는 두 사람.
이연의 표정 의아해진다. 홍주가 '대놓고' 이연의 주머니를 뒤지고 있다. 보물 찾는 중.

이연 혹시, 뭐 찾고 있니?

홍주 (손 털고 뻔뻔하게) 아니야 그런 거.

이연 (끙)

잠시 후, 뜰에는 홍주와 재유, 둘만 남았다.

재유 보물은 찾으셨어요?

홍주 못 찾았어. (잠시 생각하고) 재유야. 짐 싸라.

재유 예??

홍주 우리도 반도 호텔로 간다.

#16 묘지 (밤)

무영이 형의 얼굴 곁에 털썩 앉는다. 형이 경계하듯 눈동자 이리저리 굴리며.

형 낮에 누가 왔었지?

무영 이연이랑 술 마셨어.

형 뭐?!!

무영 선전포고하러 온 거야.

형 흔들리지 마.

무영 흔들릴 거 같으면, 여기까지 오지도 않았어.

형 이연을 죽이고, 보물을 손에 넣어야 돼.

무영 근데 형. 옛날에 말이야. 왜 나 죽이려고 했어?

형 말했잖아. 난 제정신이 아니었다고. 탈의파 짓이야. 우리 호랑이 일족의 힘이 커지는 걸 막기 위해, 우릴 몰살시키려고.

무영 이해가 안 돼. 할멈이 날 얼마나 아꼈는데.

형 그게 진심이면 널 돌로 만들어서 갖다 버렸겠니? 처음부터 인질이 필요했던 거야. 널 산신으로 데려가 키운 것도.

무영 걱정하지 마. 내가 되찾을 거야. 우리가 잃었던 모든 걸.

형 (안도하는) 그래야 내 동생이지.

무영 (털고 일어서며) 가져올게. 수호석과 금척.

#17 묘연각 / 형제의 방 (밤)

이연이 홀로 깨어 있다. 휴대가 편한 자루에 수호석과 금척 넣고, 끈을 동여맨다.

이연 와라. 전부 상대해 줄 테니까.

호기 넘치는 얼굴로 밤하늘 올려다본다. 모두에게 긴 밤이 지나고 있다.

#18 묘연각 / 앞 (낮)

다음 날. 이연과 이랑이 짐을 꾸려서 나왔다. 이연이 자동차 운전석에 오른다.

이랑이 조수석 문을 여는데, 홍주가 나타나서 이랑 끌어내며.

홍주 내 자리야. 비켜. (하고, '쏙' 조수석에 탄다)

이랑 뭐 하자는 거야?

홍주 뒤에 자리 많잖아.

이랑 (투덜대며 뒷좌석 오르면)

홍주 (이연에게) 출발.

이연 (황당) 어제 우리가 한 게, 송별회인 줄 알았는데?

홍주 밤새 생각해 봤는데 이대론 못 보내겠더라. 가슴이 미어져서.

이연 얼씨구? 묘연각은 어쩌고?

홍주 임시 휴업. 다들 호텔로 올 거야. 니들 방도 내가 예약해 놨어.

#19 최승자 헤어싸롱 (낮)

매난국죽이 머리하고 화장을 하고 있다. 다들 흥분을 감추지 못한다.

국희 호텔?! (발 동동거리며) 어떡해! 나 떨려!

난초 영국 수상이랑 미국 대통령 딸내미도 반도 호텔에 묵었대!

일동 꺅!!

난초 거기 불란서 요리 파는 식당 있잖아! 무용가 최승희 단골집이래!

일동 꺅!!

국희 (흥분해서) 최승희 얼굴 한 번 보면 난 죽어도 소원이 없어!

죽향 (설레서) 혹시 '수직 열차'도 있어요?

매화 수직 열차가 뭐야?

난초 서양말로 에레베타. 가만히 서 있으면 사람을 실어다 날라준대.

매화 세상에! (살짝 긴장해서) 기생이라고 문전박대하진 않겠지?

국희 (분 펙펙 바르며) 그래서 우리가 비싼 돈 들여 미장원 왔잖수!

#20 반도 호텔 / 외경 (낮)

#21 반도 호텔 / 로비 (낮)

전축에서 음악 흘러나온다. 홍주를 사이에 두고, 이연과 이랑이 호텔에 들어선다. 셋 다 눈부시게 세련된 양장 차림. 선남선녀들 등장에 주위 이목 집중된다.

홍주 내가 체크인 할게. (리셉션으로 가며) 구경들 하고 있어.

지배인 성함이?

홍주 류홍주.

지배인 (서류 확인하고) 인원은 10명, 방 4개 맞으시죠?

홍주 응. (이연 슬쩍 돌아보고) 재랑 딱 붙어 있는 방으로 줘.

지배인 (키 건네며) 201호부터 204호예요.

이연과 이랑, 호텔 둘러본다. 로비에 '조선최면술협회 강연' 입간판 놓여 있다.

이랑이 책 다발 안고 가던 어수룩한 청년과 부딪친다. '우르르' 책 떨어진다.

이연 (책 주워 주다 말고) 뭐야 이건?

이랑 (냉큼 뺏어서 책 표지 들여다보면) 최면술극의??

청년 (입간판 가리키며, 자랑스레) 조선 최고 '최면술협회'예요. 이건 우리 회장님이 '하늘의 비밀'을 누설한 책이고요.

이랑 (킥킥) 나 이거 사 줘.

이연 사기야 인마.

청년 사기 아녜요! 최면술을 터득하면 만병을 고치고! 귀신이랑 대화도 하고! 마른하늘에 벼락을 치게 할 수도 있어요!

이랑 (피식) 그거 '진짜 할 줄 아는 놈' 여기 있는데.

청년 예??

이연 (책으로 청년 머리를 툭 치며) 야, 이런 걸 누가 속냐?

하고, 가 버린다. 호기심 어린 눈으로, 멀어지는 형제를 바라보는 청년.

#22 반도 호텔 / 앞 (낮)

신주, 재유, 부두목이 짐 가방 들고 호텔로 향한다. 매난국죽이 뒤를 따른다.

신주를 제외하고는 다들 잔뜩 긴장한 얼굴. 막 호텔로 들어서려는데.

신주 (부두목에게) 이 무식한 놈아! 신발!

부두목 응??

신주 (신발 벗으며) 호텔에 들어갈 땐 신발을 벗는 게 매너잖아!

부두목 (당황했지만) 그… 나도 알아! 내가 딱 벗을라고 했어!

부두목이 신발을 벗는다. 재유가 눈치를 살피더니 저도 신발을 슬쩍 벗는다.

#23 반도 호텔 / 로비 (낮)

다들 신발 고이 벗어 들고 로비에 들어선다. '우와!!' 매난국죽 눈 휘둥그레진다.
부두목이 기다리던 이랑을 보고 반갑게 '두목!!'
이랑이 맨발을 보고 '흠칫'. 이연이 부끄러운 듯 얼굴을 가린다. 손님들도 수군수군.

이랑 신발은 왜 벗었어?!

부두목 (당당하게) 호텔 첨 오십니까? 이것이 예절이잖습니까.

이랑 하아… 누가 그래?

부두목 구신주가… (보면, 신주는 그새 신발 신었다) 저 불여시 같은 놈!!

신주와 부두목이 투덕거리는 사이, 다들 급히 신발 고쳐 신는다. 홍주가 재유와 매화에게 열쇠 나눠 준다. 마지막으로 이연에게.

홍주 구미호 형제는 204호.

이연 넌?

홍주 201호. (이연의 몸 자연스럽게 터치하며) 이따 봐. 자기야.

이랑 아주 작정을 하고 왔네.

이연 방심하지 마. (홍주 뒷모습 보며) 꽤나 '피 터지는 밤'이 될 테니까.

#24 경성 거리 (낮)

같은 시각, 단정하게 차려입은 무영이, 인력거꾼을 잡아 세운다.

무영 반도 호텔로 갑시다.

무영이 탄 인력거, 거리를 내달린다.

오복 양품점 스쳐 가며, 무심히 시선을 주는 무영. 가게에 손님이 제법이다.

#25 오복 양품점 (낮)

무영은 모르지만, 양품점에서 쇼핑을 하고 있는 것, 다름 아닌 용병단이다.

유키 (거울에 옷을 대보며) 나 어때?

오오가마 (히죽) 유키 예쁘다.

유키 넌 다 이쁘대? (우렁각시에게) 좀 야하고 과감한 거 없니? 나 오늘 겁나 잘생긴 요괴 만나러 호텔 가는데.

우렁각시 (두려운 듯) 니들 정체가 뭐야?

우시우치보 뭐긴 뭐야? 너랑 똑같은 요괴지.

뉴도 (옷 같은 거 관심 없다. 한쪽에 기대) 그 여자 본체는?

우시우치보 (서늘하게 훑고) 우렁각시.

뉴도 (다가와서) 우렁각시야. 넌 재주가 뭐니?

우렁각시 (본능적으로 위험을 감지한다) 바…바느질이랑 음식이 다야.

오오가마 끌고 갈까?

그 말에, 일제히 우렁각시를 주시하는 용병단!!
시간 경과되면, 여희가 '콜록콜록' 기침하며 양품점 들어선다.

여희 노래 연습을 너무 했나? 목이 찢어질 거 같아.

하다가 보면, 물건들 흐트러져 있고, 우렁각시 한쪽에 주저앉아 있다.

여희 (다가가서) 사장님! 왜 이러고 계세요?

우렁각시 (심장 부여잡고) 요괴. 일본 요괴한테 잡혀갈 뻔 했다!

여희 일본 요괴요?

우렁각시 위험천만한 놈들이야! 당분간 너도 함부로 나다니지 말어!

여희 (밖을 살피고) 그놈들 어디로 갔어요?

우렁각시 죄다 반도 호텔로 몰려갔어.

여희 반도 호텔?! 이랑이 거기 있는데! (다급히) 저 좀 나갔다 올게요!

우렁각시 가면 안 돼! (말릴 새도 없이 달려 나가는데) 여희야!!

#26 반도 호텔 / 202호 (낮)

방에 들어온 매난국죽 환호한다.

자막 반도 호텔 202호

국희 (침대로 점프하며) 침대다! 호텔 침대!

죽향 (협탁 위 비누를 손에 들고) 방에 귀한 비누가 있어요!

국희 비누만 있겠니? 여기 방세가 얼만데!

죽향 얼만데요?

국희 웬만한 여급 한 달 품삯이야!

매화가 짐 가방 풀고 있다. 보자기에 싼 음식물 나온다. 난초가 코를 쥔다.

난초 뭐야 이거? (냄새 맡아 보고) 김치야? 언니! 누가 호텔에 김치를 싸 와!

매화 양요리만 판다길래 혹시 몰라 챙겼지.

난초 난 몰라! 우리까지 촌년 취급당하면!

매화 (꿋꿋이 반찬통 내보이며) 고추장이랑 된장도 있어.

#27 반도 호텔 / 203호 (낮)

부두목이 호텔 비품을 가방에 쓸어 담고 있다.

자막 반도 호텔 203호

신주 (기함하는) 야! 이거 절도야!

부두목 내 직업이 그거야. (그림 떼어 내려고) 이건 왜 안 떼어지냐!

신주 (뜯어말리며) 그림은 어메니티 아니라고!! (큰 소리로) 도둑이야!!

부두목 (입 틀어막는) 입 닫어라!!

신주 재유 씨!! 도와줘!

재유 하아… (홍주 짐 가방 들고) 사장님 방에 좀 다녀올게요.

신주 (재유 나가면, 표정 싹 바뀌어서) 우리가 '여기 온 목적'을 잊지 마.

부두목 내가 바보로 보여?

신주 응.

부두목 (쥐어박으려다) 우리도 슬슬 움직여 보자고.

의미심장하게 시선 주고받는 두 사람이다.

#28 반도 호텔 / 201호 (낮)

홍주의 독방. 재유가 홍주 짐 가방을 가져왔다.

자막 반도 호텔 201호

홍주가 커피 홀짝이며 눈짓하면, 가방 열어 보이는 재유. 고운 옷가지 위에 날을 세운 단검과 권총, 채찍 등 무기가 한 보따리다.

재유 매난국죽을 데려온 게 잘한 일일까요.

홍주 내가 묘연각을 비운 걸 알면, 총독부에서 무슨 짓을 할지 몰라. 니들은 내 옆에 딱 붙어 있어.

재유 (홍주 발치에 붙어 앉으며) 어쩔 생각이세요?

홍주 우리 연이랑 무영이 싸움 붙여 놓고, 난 보물 갖고 튀어야지? (강아지처럼 재유 목을 긁어 주며) 그때까지 나가서 좀 즐겨.

노크 소리 들린다. 홍주가 경계하며 문 열면, 앞 씬의 최면술 협회 청년이다.

홍주 뭔데?

청년 (최면술극의 책 들고) 초대합니다. 저희 협회로 말할 것 같으면….

홍주 (말 끝나기도 전에) 꺼져. (발로 문을 '쾅!')

#29 반도 호텔 / 403호 (낮)

거울에 비친 '홍백탈' 보인다. 탈을 얼굴에 대고 고요히 자신을 마주 보며.

무영 오늘이 오기만을 기다리고 있었어. 연아.

이내 탈을 벗고, '싱긋' 웃는 무영 얼굴에서.

자막 반도 호텔 403호

#30 반도 호텔 / 4층 복도 (낮)

이어 4층 복도에 시끌시끌하게 나타나는 것, 용병단이다.

유키 (뉴도에게 조르듯) 바로 쳐들어가자!

오오가마 가자! 가자!

뉴도 작업은 해 떨어지면 시작한다. '대장'의 명령이야.

우시우치보 그럼 잠이나 좀 자 둘까?

#31 반도 호텔 / 404호 (낮)

방에 들어온 뉴도가 벽에 걸린 '그림'을 바라본다. 아름다운 숲을 그린 그림이다. 침대에 눕는 등, 각자 여유 넘치는 태도로 자리를 잡는 용병단. 그 위로.

자막 반도 호텔 404호

#32 반도 호텔 / 카페 겸 레스토랑 (낮)

그 시각, 이연과 이랑은 한가로이 스테이크를 먹고 있다.

이랑이 서툴게 칼질하면, 잠자코 접시 가져가 고기 썰어 주는 이연.

이연 (먹는 모습 가만히 보다가) 랑아. 나랑 같이 갈래?

이랑 (무심히) 어딜?

이연 내가 온 곳. 조선의 미래. 거긴 총성도, 전쟁도 없어. 왜놈들도….

이랑 (말 자르며) 난 못 가.

이연 (섭섭하지만) 그 인어 아가씨 때문이구나.

이랑 이해가 안 됐었어. 네가 고작 인간 여자 때문에 산신을 때려 치우고 그 따위로 살았던 거. 원망도 엄청 했고.

이연 지금은? 날 이해하니?

이랑 조금은 알 거 같아. 그때 네가 어떤 기분이었는지.

이연 너, 진짜 좋아하는구나?! (진지하게) 그 여자, 모든 걸 걸고 지켜 줘라. '구미호의 첫사랑'은 처음이자, 마지막 사랑이 될 테니까.

이랑 (픽 웃는)

이연 (보석 상자 건네주며) 이거, 집에 가기 전에 주려고 했는데.

이랑 (열어 보면 한 쌍의 반지 들어 있다) 반지?

이연 둘이 하나씩 나눠 가져. 형이 주는 네 혼인 선물.

이랑이 기분 좋게 반지 챙겨 든다. 식사 끝났다.
어깨동무를 하고 식당을 나서는 형제. 어슬렁거리듯 걷다 위층 올려다보며.

이연 그나저나 말이야. '불청객들'이 제법 온 거 같지?

이랑 이중에 몇 놈이나 살아서 나가려나?
이연 네 형이 그렇게 자비로워 보이니?

이연이 가진 보물을 노리고, 적들이 한 자리에 모였다.
호텔에 묘한 긴장감 흐르는 가운데, 서늘하게 웃는 이연 얼굴에서.

자막 D-3일

#33 반도 호텔 / 로비 (낮)

신주와 부두목이, 내키지 않는 표정의 재유를 끌고 다니며 호텔 구경 중이다.
재유가 비틀거린다. 신주가 잡아 주며.

신주 재유 씨 왜 이래??
재유 이 양반이, 에레베타가 너무 재밌다고 열 번을 내리 태우잖아요.
부두목 (친한 척 툭 치며) 보기보다 몸이 허약하구먼.

그러고 있는데, '최면술협회' 청년이 잽싸게 다가와.

청년 (플래카드 가리키며) 강의 들으러 오셨죠?
신주 아닌데요?
청년 (책 나눠 주며 붙임성 있게) 일단 오세요. 음료는 무료로 드려요.

부두목　코오피가 공짜면 한 잔씩 빨아 보까?

#34　반도 호텔 / 카페 겸 레스토랑 (낮)

카페에 <조선최면술협회 강연> 플래카드 붙어 있다.
주위 둘러보는 신주. 아름다운 꽃과 '고급 향신료' 병들로 장식돼 있다.
포마드로 머리 쫙 넘긴 '최면술협회' 회장. 청중들 속에 매난국죽도 보인다.

부두목　(반갑게) 다들 여기 계셨네?

청년　(커피 갖다 주며) 쉿!! 강의 시작했어요.

누가 봐도 '사짜 냄새'가 나는 회장이, 착석한 손님1 앞에서 시계추를 흔들며.

회장　당신은 올림픽 성화 봉송 주자여! 열화와 같은 성원 속에! 바로 지금! 성화가 봉송되고 있당께!

손님1 홀린 듯 벌떡 일어나더니, 성화 봉송 자세로 뛰기 시작한다.
청중들 감탄하는 소리. 일행도 깜짝 놀랐다. 수법을 아는 신주만 혀를 '끌끌'.

회장 보시는 바와 같이 최면은 같잖은 기술이 아니고! 마술도 아니고! 유럽에서 도입한 '정신 의술'이여! (손가락을 딱) 거 그만 뛰고.

청년 (손님1을 잡아 주면, 정신이 든 듯이 멈춘다)

회장 최면 상태에선 뭐든지 되아 부러! 내가 아닌 내가 되기도 하고!

신주 (입이 떡 벌어진 부두목에게, 귓속말로) 저거 다 짜고 치는 거야.

부두목 아냐! 물 건너온 의술이래잖냐!

회장 직접 해 보고 싶은 분?

매난국죽과 부두목이 손을 '번쩍' 든다. 재유도 쭈뼛거리며 손 들어 올린다.

회장 (매난국죽에게 다가가) 이 아리따운 아가씨들은 뭘로 변신 시켜부까?

그들 눈앞에 '시계추' 늘어뜨리는 회장 모습에서.

#35 반도 호텔 / 2층 복도 (낮)

이연과 이랑이 떠들썩한 소리에 방문 열고 나왔다. 복도에 소동이 벌어졌다.

이랑 저게 뭔 난리야?

소동의 당사자, 뜻밖에도 매난국죽이다.
매화가 한 손에는 나이프, 한 손에는 자루를 들고, 부부 손님을 위협하고 있다.

매화 지금부터 귀중품 가진 거, 싸그리 여기 담는다!! 하나라도 숨기면 모가지를 따 버릴 테니까!
여 손님 자기야! 경찰 불러!
난초 (피식, 매화 가리키며) 여기 오래비가 짭새야!
국희 (매화에게) 성님! 본보기 삼아 손가락 한 마디만 잘라 버리시죠!
남 손님 이 미친년들이!!
이랑 쟤네 왜 저래??
이연 (뛰어가서) 니들 술 먹었니? (손님들 달래며) 가라. 애들이 취했나 봐.

황급히 손님들 보낸다. 그러자 매화가 이연을 들이받듯 하며.

매화 여기는 우리 구역이요. (나이프 핑핑 돌리며) 우리 사장님 깔치가 나설 자리가 아니지.
이연 뭐? 깔치?!!
난초, 국희 (이연을 에워싸면)
매화 끼어들지 말란 말이오. 확 공구리를 쳐 버리는 수가 있어.

이 사태를 어이없이 지켜보던 이랑에게, 죽향이 다가온다.

죽향 (툭 치며) 어이, 담배 있나?

이랑 (기가 차서) 머리에 피도 안 마른 게 뭐?

죽향 네가 봤냐? 피가 말랐는지 어쨌는지 내 대가리 까서 봤냐고?

이랑 (환장하겠다) 야! 이것들 단체로 미쳤나 봐!

이연 막 팰 수도 없고. 홍주 불러! 빨리!

이랑이 201호의 문을 거칠게 두드린다. 답이 없다. 문도 잠겨 있다.

이랑 없어!

이연 (203호 가리키며) 재유 재유!

이랑 (203호 방문을 벌컥 열며) 야! 좀 나와 봐!

203호 문 열린다. 그런데 안에서 '꺄! 꺄!!' 하는 소리?!
보면, 신주, 부두목, 재유가 기생들 옷을 입고, 머리에 장미꽃, 리본 등 달고 있다.
부두목은 거울 앞에서 화장을 하고, 신주는 재유에게 매니큐어 발라 주다 만 모습.
기함하는 이랑!!

#36 반도 호텔 / 모처 (낮)

'최면술협회' 회장이 가부좌 틀고 앉아 있다.
눈을 감고 '뜬다 뜬다 뜬다' 주문을 외는데, 청년이 옆에 와서.

청년 공중 부양하세요?

회장 이상허다. 오늘따라 거는 족족 최면이 걸리는디 왜 이것은 안 되냐?

청년 기(氣)를 너무 많이 쓰신 거 아닐까요?

회장 아무튼 이 호텔이 말이여! 네 말대로 터가 비싸서 그런가 끗발이 죽여 불드만!

청년 우리 회장님! 사기 치다가 진짜 득도하셨네!!

둘이 좋아라 웃고 있는데, 이연과 이랑이 거칠게 나타나서!

이랑 네가 내 부하한테 장난친 놈이냐?

회장 어허! 누군데 감히!

이랑 이리 와.

다짜고짜 회장 두들겨 패는 이랑! 말리는 청년도 팬다!

청년 (맞으면서) 말로 하세요! 저 우리 문중 4대 독자에요!!

이연 (뒹구는 회장 멱살 잡는) 좋은 말할 때 최면인지 뭔지 풀어라.

회장 (급히 회중시계 꺼내 들고) 이 시계를 집중해서 보시오!

이연 나한테도 최면 걸어 보시게?

회장 인자 너는 내가 무서워져 부러!

이연 네가 왜 무서워??

회장 최면으로 용기를 뺏겼으니까! (다급히) 3, 2, 1….

손가락 '딱' 하는 소리! 이랑과 청년이 동시에 돌아본다! 기대감에 찬 청년 눈빛!
이연의 얼굴 굳는다! 이연이 무서운 듯 잠시 몸을 떠나 싶더니!

이연 (회장 머리를 콱 쥐어박고!) 나한텐 그런 거 안 통해!

#37 반도 호텔 / 옥상 또는 실내 정원 (낮)

홍주가 재유를 데리고 무영을 접선한다. 간이 테이블에 앉으며.

홍주 어휴. 날이 날인지 호텔에 온갖 잡상인들까지 설친다.
무영 잡상인?
홍주 (재유를 보며 혀를 쯧) 그런 게 있어. 준비는 잘 돼가?
무영 뭐 하러 왔어 너까지.
홍주 (생글생글) 우리 같은 편이잖아. 내가 도와줄게. 네 보물찾기.
무영 아니. 넌 빠져. 너 다치는 거 싫어.
홍주 걱정은 고마운데, 나한테 이래라 저래라 하지 말랬지.
무영 (홍주 성격을 알고, 한 발 물러서는) 알겠어.
홍주 그나저나 보물을 어떻게 뺐지? 연이가 순순히 내줄 리는 없고.
무영 나한테 계획이 있어.
홍주 무슨 계획??
무영 오늘 해가 지면 말이야….

은밀하게 뭔가를 속삭이는 무영. 두 사람을 지켜보는 재유의 얼굴 굳는다.
시간 경과되면, 홍주와 재유 둘만 남아서.

홍주 (심상찮은 표정으로) 무영이 얘기 들었지? 오늘 이 호텔에서 무슨 일이 일어나도, 넌 끼어들지 마. 매난국죽 잘 챙기고. (하고, 일어선다)

재유 저도 데려가시면 안 돼요?

홍주 목숨, 함부로 걸지 마. (어깨를 툭) 그럴만한 여자를 찾으면 그때 해.

재유 (먼저 걸어 나가는 홍주 뒷모습에 대고, 작게) 찾았는데 저는….

#38 반도 호텔 / 앞 (낮)

무영이 호텔 나서는 길. 뒷모습으로 담배 들고 있던 손님과 부딪친다.
담배 굴러 떨어진다. 얼굴은 안 보이지만, 이랑한테 얻어터진 '최면술협회' 청년이다.
'미안합니다.' 짧게 지나치는 무영.
그 옆으로, 여희가 무영과 엇갈려 바삐 호텔에 들어선다.

#39 반도 호텔 / 204호 (낮)

형제의 방. 신주와 부두목이 손들고 벌 받는 중이다. 한복 치마와 머리에 꽂 그대로.

이랑 니들 여기 관광하러 왔니?

부두목 과욕이 부른 참사입니다!

신주 맞습니다! 호텔에 수상한 놈이 없나 확인하려다!

이랑 아오!! (부두목에게) 화장이나 지워!

이연 다들 모여 봐.

신주와 부두목, 치마 벗어 던지고 모인다. 이연이 호수와 이름 적힌 메모지 붙이며.

(404호 용병단. 403호 천무영. 201호 류홍주)

이연 예상대로, 보물을 노리고 전부 몰려왔어. 일본 요괴는 물론이고, 무영이랑 홍주까지. (신주에게) 홍주는?

신주 아까 무영님이랑 한 차례 접선한 뒤로, 방에서 안 나오셨어요.

이연 (부두목에게) 무영이는?

부두목 좀 전에 외출이요.

이연 (살짝 마음에 걸려서) 어디로?

부두목 (해맑게) 그건 제가 모르죠.

이랑 (흘기고) 일본 요괴들은 방에 들어간 뒤로, 아직 아무 움직임이 없어.

이연 좋아. (메모 가리키며) 첫 번째 목표는 일명 '시니가미 용병단', 요새 경성을 초토화시키고 다니는 이놈들이다. 호텔 404호.

신주 (살짝 긴장해서) 왜 하필 호텔 방이에요?

이연 우리한텐 시간이 별로 없고, 호텔 방에 처넣으면, 놈들은 '도망칠 곳'이 없으니까.

부두목　오! 싸그리 방에다 몰아넣고, 한 방에 쓸어버리는 거네요! (신나서) 나도 오랜만에 몸 좀 풀어 보까!

이연　아니. 사냥은 나 혼자 해.

이랑　뭐?!

신주　저희가 조사해 보니까, 상당히 강한 요괴들이에요! 혼자선 안 돼요!

이랑　게다가 그놈의 산신들이 뛰어들면? 일본 요괴 넷에다, 산신 둘까지 '6대1'의 싸움이야!

이연　그게, 이 작전의 '진짜 목표'야.

부두목　저는 당최 이해가 안 가는데요?!

이연　니들 말대로 용병단은 강해. 하룻밤에 나 혼자 넷을 상대하는 건 무리일 지도 몰라. (메모지 떼서) 근데 만일, 홍주랑 무영이가 우리 편이 된다면? 그래서 이게 '용병단 대 산신들'의 싸움이 된다면?

이랑　용병단이랑 똑같이 보물에 눈 뒤집힌 놈들이야! 천무영이는 널 죽이려고 하고!

신주　홍주 사장님은 묘연각이 최우선이라, 총독부랑 대놓고 척을 질 리가 없어요! 그게 어떻게 가능해?

이연　(자신 있게) 내가, 그렇게 만들 거니까.

일동　(못내 불안한 표정인데)

이랑　언제 시작할 거야?

이연　천무영이 돌아오는 대로.

#40 반도 호텔 / 로비 (낮)

같은 시각, 여희가 로비를 찾았다. 목이 아픈지 여전히 기침을 하며.
'어떡하지?' 이랑을 찾아서 막막하게 로비를 헤매는 여희.

#41 무영의 아지트 (낮)

마당에 놓인 자루에서 뭔가가 몸부림친다.
무영이 고요한 얼굴로 보다가 일어선다. '가자. 오늘은 맘껏 먹여 줄게.'

#42 내세 출입국 관리 사무소 (밤)

해가 졌다. 현의옹이 정 형사의 손에 죽은 조직원을 만났다.

현의옹 (애타게) 아니 자네가 왜 여기 있나?
조직원 그레고리 동지! 동지도 죽었습니까?
현의옹 (난감하다) 그게… 설명하자면 긴데. 자넨 어찌 된 건가?
조직원 총독부 경무국장이요! 그자는 모든 걸 다 알고 있어요!

탈의파가 헛기침을 하며 나타난다. 현의옹이 '쉿!!' 남자에게 신호한다.

탈의파 아는 자야?

현의옹 아닌데요.

탈의파 꾸물꾸물 대지 말고 들여보내. 좀 있음 망자들 쏟아져 들어와.

현의옹 네. 여보. (탈의파 몰래 겉옷 벗어 주며, 작게) 이거 입고 가시게. 삼도천 넘어가는 길은 많이 춥다네.

조직원 동지는 누구십니까.

현의옹 내가 누구든, 우리가 조선을 위해 함께했다는 사실은 변함이 없어.

조직원 (울컥해서) 조선 독립을 못 보고 가는 게 한스러울 뿐입니다.

현의옹 (다독이며, 따뜻한 진심으로) 고생이 많았네.

문 너머로 떠나는 남자를 보며, 눈물을 훔치는 현의옹.
탈의파가 '슥' 다가와서, 소매로 우악스럽게 코 닦아 준다. 나름의 애정이다.

탈의파 우냐? 죽음을 관장하는 신이, 인간 하나 보냈다고?

현의옹 (말갛게 웃으며) 그러게. 나도 좀 익숙해지면 좋겠다.

탈의파 (이해한단 듯) 고단한 시대야. 신들도 인간들도. 그래도 당신은 빠져. (말해 줄까 말까 하다가) 연이가 할 거야.

현의옹 뭐? 연이가… 당신이 그걸 허락했다고??

탈의파 그런다고 세상이 뒤집히겠냐마는, 나도 한번 걸어 보고 싶네. (뒷짐 지고 자리 뜨며) 조선이 이기는 쪽에.

그런 아내를, 벅찬 얼굴로 바라보는 현의옹이다.

#43 반도 호텔 / 4층 복도 (밤)

무영이 호텔로 돌아왔다. 403호 자기 방으로 사라지면.
숨어서 훔쳐보고 있던 부두목이 냅다 뛴다.

#44 반도 호텔 / 201호 (밤)

부두목이 무영의 귀환을 알린다.

부두목 왔어요!

이연 (시계를 보면 7시 10분 전이다. 미리 준비해 온 양초를 나눠 주며) 신주야. 넌 지금 나가서 7시 정각이 되면, 호텔 전원을 내려 버려.

신주 전원은 왜요?

이연 다른 손님들 방에서 못 나오게. 무고한 사람들이 휘말리면 안 돼.

신주 (곧바로 나가며) 네!

이랑 보물은?

이연 (안주머니 툭툭) 여기.

이랑 난 류홍주, 천무영을 404호로 끌어들이면 되지? 네가 찾는다고.

이연 무슨 일이 있어도 걔들이랑 직접 싸우지 마. 만일 그런 상황이 되면.

이랑 (내키진 않지만) 알았어. 무조건 피할게.

이연 (부두목에게) 어이. 니네 두목 코피 한 줄만 나도, 나 눈 돈다.

부두목 알아먹었습니다!!

#45 몽타주 (밤)

이연이 결연한 얼굴로 방을 나선다!

신주가 양초를 손에 쥐고, 비상계단 빠르게 뛰고 있다! 전력을 끊으러 가는 길!

이랑이 홍주의 방문 두드리고, 계획대로 이연의 얘기 전달한다!

여희는 아직도 호텔 안을 헤매고 있다!

무영은 모처에서 호텔 둘러보며 묘하게 웃는다! '뭔가'를 기다리듯이!

404호의 용병단, 이제 막 잠에서 깬 듯 무방비하게 기지개를 켠다!

404호 문 앞에, 이연이 자리를 잡고 섰다. 당장이라도 쳐들어갈 듯이!

시계를 보는 이연! 1분 후면 7시다! '째깍째깍' 초침 소리 커진다!

#46 호텔 / 모처 (밤)

이랑이 무영을 찾고 있다. 사람들 틈에서 무영을 발견. 둘이 눈 마주친다.

급히 쫓아가 보지만, 무영은 보이지 않고.

이랑을 뒤에서 붙드는 손. 여희다.

여희 랑아!! 얼마나 찾았는데!

이랑 네가 왜 여기 있어?!

여희	양품점에 일본 요괴들이 왔었어!
이랑	뭐? 다친 덴 없고?!
여희	난 괜찮은데. 전부 여기로 몰려왔대! 네가 걱정돼서 난!
이랑	(무영이 사라진 쪽을 한 번 보고) 여기 있으면 안 돼!

여희 손잡아 끌고 호텔 빠져나가려는데! 곳곳의 조명 깜박거린다!

이랑	(곧 정전이다) 안 돼!!

#47 반도 호텔 / 404호 앞 (밤)

이연이 불붙은 양초를 들고 있다. 곧바로 이연 눈앞에서 복도 불, '확' 꺼진다.

기다렸단 듯 방문을 노크한다. 답이 없다. '손님?' 불러 봐도 묵묵부답.

손잡이 슬쩍 돌려본다. 방문은 열려 있다. 안으로 들어가는 이연. 안에서 방문 '쿵' 닫힌다.

이연의 모습 사라지면, 홍주가 복도 끝에서 고개를 내민다. 이연을 지켜보고 있다.

#48 반도 호텔 / 2층 복도 (밤)

불 꺼진 복도에 누군가 나타난다.

기괴한 움직임. 짐승같이 신음하는 소리. 무영이가 데려온 '미스 조선'이다!
닫힌 호텔 방문을 긁으며, 먹잇감을 찾기 시작하는 그녀!

#49 반도 호텔 / 404호 (밤)

묘한 정적 흐른다. 404호에는 아무도 없다. 방 안에 용병단이 있었던 흔적뿐.
탁자에 내려놓은 촛불 일렁인다. 이연이 경계하듯 주위를 살핀다.

이연 놈들은 분명히 여기 있었어. 밖으로 나간 적도 없다.

신중하게 방을 둘러보는데, 어디선가 들리는 '남자 웃음소리?!'
나중에 알게 되지만 용병단 대장의 목소리다.
소리가 난 곳은 벽이다! 벽에 그림 하나 걸려 있다! 숲을 그린 그림!
그림 들여다본다! 또 다시 희미한 웃음소리 들린다!
이연이 그림에 손을 댄 순간!

#50 숲 (낮)

이연을 둘러싼 배경, 그림 속 숲으로 바뀐다! 눈부신 햇살 쏟아진다!
경악해서 주위를 둘러본다!
뺨을 스치는 바람! 나뭇잎 소슬거리는 소리! 영락없이 진짜 숲이다!

이연 용병단 중에 '환술'을 쓰는 놈이 있구나?! (곧바로 놈들 찾아다니는) 어디 숨었니? 이 요망한 것들.

#51 반도 호텔 / 202호 (밤)

매화가 방에 비치된 양초에 불을 밝힌다.
마사지를 하던 난초와 국희의 얼굴에 오이 잔뜩 붙어 있다.
죽향은 잠들었다.

국희 (볼멘소리로) 이 비싼 방에서 정전이 다 뭐야?
난초 (밖에서 손톱으로 방문 긁는 소리 들린다) 무슨 소리지?
국희 (귀 기울인다. 조용해졌다) 언니가 가서 말해 줘. 방 좀 바꿔 달라고.

#52 반도 호텔 / 2층 복도 (밤)

매화가 촛불을 들고 밖으로 나왔다. '복도 불도 나갔네?' 중얼거린다.
복도 끝에 여인의 뒷모습 보인다.
'저기요. 그쪽 방도 정전인가요?' 그 소리에 미스 조선, 매화를 향해 돌아선다!
놀란 매화가 주저앉는다! 미스 조선이 막 매화를 덮치려는 찰나!
재유가 매화를 낚아채서 방으로 들어간다!
곧바로 정전으로 방을 헤매던 '최면술협회' 회장과 청년이 나타난다!
순식간에 회장을 덮치는 미스 조선!
'아이구 나 죽네!!' 회장의 비명 소리! 목을 물어뜯겼다!
놀란 청년이 '회장님!!!' 외치더니 이내 혼자 달아나 버린다!

#53 반도 호텔 / 202호 (밤)

복도에서 회장의 비명 소리 들린다! 기생들, 겁에 질렸다!

난초 무슨 일이야??

재유 쉿! 저놈은 소리에 반응해요!

매화 (떨면서) 방금 그 여자 뭐야?!

재유 야차.

국희 야차? 사람을 잡아먹는다는 귀신 말이야?! 그런 게 왜 호텔에 있어?

재유 여러분은 괜찮을 거예요. 지금부터 내가 부를 때까지 절대 방에서 나오지 마세요.

#54 반도 호텔 / 2층 복도 (밤)

복도에는 죽은 회장만 남았다.
그런데 숨이 끊어진 회장, 이내 눈을 '번쩍' 뜬다! 회장도 야차로 변했다!

#55 반도 호텔 / 로비 (밤)

이랑이 여희를 데리고 1층으로 내려왔다.
곳곳에 촛불 켜져 있다.
지배인이 촛불 들고 다니며 손님들에게 양해를 구한다. 이랑 앞을 가로막고.

지배인 정전이에요. 직원을 보냈으니까 금방 복구될 거예요.
이랑 비켜!

그 순간, 뒤에서 나타난 미스 조선이 지배인을 '콱' 물어뜯는다!
여희의 얼굴에 피가 팍 튄다!
이랑이 여희를 뒤로 숨기며 도끼 꺼낸다!
자신에게 달려드는 미스 조선을 베지만! 죽지도 않고 일어서는 그녀!
곳곳에서 손님들 비명 소리 들린다! '최면술협회' 회장도 로비에 나타났다!
'젠장!!' 여희를 데리고, 급히 레스토랑으로 몸을 피하는 이랑!

#56 반도 호텔 / 4층 복도 (밤)

그 사이, 홍주와 무영이 4층에서 만났다.

홍주 (인상을 팍 찌푸리고) 그 괴물은 대체 뭐야?

무영 보름 동안, 야차의 피와 살만 먹고 자란 인간. 사람이었던 기억은 사라지고, 야차와 똑같이, 오직 피에 굶주린 괴물이 됐어.

홍주 (꾸짖듯) 애먼 사람들을 희생시키면 어쩌자고? 탈의파 할멈이 알면!

무영 (단호히) 뒷감당은 내가 해. 넌 끝까지 몰랐던 일이야.

홍주 (복잡한 눈길로 보다가) 저 방이야. 연이는.

무영을 404호로 안내하는 홍주.

홍주를 남겨 두고, 작심한 듯이 404호로 사라지는 무영 모습에서.

#57 숲 (낮)

용병단을 찾아 거침없이 숲을 헤치고 다니던 이연, 뭔가를 보고 멈춰 선다.

마찬가지로 우뚝 서서 이연을 마주 보고 있는 것, 무영이다.

마주 선 두 남자 사이로 바람이 분다.

이연 혼자 왔네? 홍주는?

무영 네가 한 거니? 이 숲.

이연 아니. 호텔에 불청객이 있어.

무영 (피식) 이럴 겨를이 있나 몰라. 네 동생한테 뭔 일이 난지도 모르고.

이연 (서슬 퍼렇게 다가서며) 걔한테 뭔 짓 했냐?

무영 (태연히) 호텔에 야차를 풀었어.

이연 야차?!

무영 지금 네 동생 되게 바쁠 걸? 손님들이 야차로 변하고 있는 와중에, 여자 친구를 만났거든.

이연 넌 애가 뭐 이렇게까지 됐니?

무영 지켜야 될 게 없으니까 난. 나가서 네 동생 구하고 싶으면, 보물을 넘겨.

이연 (단칼에) 싫어.

무영 (뜻밖의 반응에) 뭐??

이연 반쪽짜리지만 걔 구미호야. 네가 생각하는 것만큼 약하지 않아. '지켜야 될 여자'가 있을 땐 더더욱.

무영 (칼 뽑아 들고) 그럼 어쩔 수 없네.

이연 너랑 싸우러 온 건 아닌데. 알게 뭐야? (검을 들고 자세 잡는) 순서가 좀 바뀌었을 뿐. 덤벼.

나무 뒤에서 그런 둘을 고약하게 지켜보는 시선, 홍주다.

#58 숲 / 용병단의 거점 (낮)

용병단이 숲 한쪽에 모여 있다. 오오가마가 새소리에 귀를 기울이며.

오오가마 히바리다. 히바리 울음소리야. 조선말로 뭐더라?

우시우치보 (한심한 듯이) 종달새. 멍청아. 하필 이딴 그림을 골라서, 놈이 어딨는지 알 수가 없잖아.

유키 이연이 걸려들었겠지?

뉴도 대장의 환술이야. 제 아무리 날고 기는 구미호라도 벗어날 수 없어.

유키 가자! 구미호 잡으러!

뉴도 (캐러멜 까먹으며) 대장이 올 때까지 기다려.

우시우치보 나도 하나만.

뉴도가 성가신 듯 캐러멜 하나 던져 주면, '쩝쩝' 씹는 우시우치보.

유키 (투정하는) 대장 혼자만 재미 보라고? 하루 종일 기다렸는데?

뉴도 목적은 그놈이 아니라, 놈이 가진 보물이야.

우시우치보 (볼멘소리로) 그 귀한 걸 총독부에 넘겨야 돼?

오오가마 우린 명령에 따라야지.

유키 난 보물이고 뭐고 관심 없어. (어리광 부리듯) 구미호랑 놀고 싶어!

뉴도 대장한테 이른다!

유키 치사하게!

우시우치보 (그 틈에 슬쩍 자리를 뜬다)

뉴도 우시우치보. 어디가?

우시우치보 (바지춤 붙들고) 나 소변 좀.

#59 숲 (낮)

이연과 무영의 싸움 한창이다!
무영이 이연의 품에 있던 '보물 자루' 낚아챈다! 이연이 막았다!
보물 사이에 두고, 뺏길 듯 말 듯 팽팽한 공방 이어지는데!
찰나! 힘과 힘이 부딪치면서 자루 날아간다!
둘이 동시에 그리 뛰는데! 어디선가 채찍 날아와 보물을 가로챈다! 홍주다!

홍주 어린이들, 보물은 내 거야!

눈 찡긋하고 숲으로 튀어 버리는 홍주!

무영 홍주야!
이연 저걸 그냥!!

이연과 무영, 싸우다 말고 홍주를 쫓기 시작한다!
앞서거니 뒤서거니 서로 밀치며 뛰다가!

이연 찢어져서 잡자! 넌 저쪽으로 가!
무영 (가려다 말고) 내가 네 부하냐?
이연 어우, 콤플렉스 덩어리!

무영 닥쳐!

흩어져서 홍주를 쫓는 두 사람!
이연이 빠르게 숲을 가로지르는데! 숨어 있던 홍주가 각목으로 풀스윙!
'악!!' 이연 쓰러진다!

홍주 좀 자빠져 있어.

'씩' 웃고 돌아서는데! 눈앞에 무영이다!
'미안' 무영이 보물 자루 '쏙' 낚아채서 튄다!
'야!!!' 이번에는 홍주가 씩씩거리며 무영의 뒤를 쫓는다!
그런데 뒤에서 홍주의 비명 소리 들린다! 무영이 뛰다 말고 돌아본다!
보면, 홍주가 주저앉아 무릎을 붙잡고 신음한다! 황급히 뛰어가는 무영!

무영 왜 그래?! 다쳤니?
홍주 (고통스러운 듯) 아아… 부러졌나 봐.
무영 다리? 발목?

걱정스레 홍주 다리를 들여다보는 사이! 짱돌로 무영의 뒤통수를 '퍽' 갈기고!

홍주 우리 무영이 약점은 나지.

하며, 자루 빼어 들고 일어서는 순간!
이연이 뒤에서 무릎으로 홍주를 찍고, 보물 자루 낚아챈다!

이연 땡큐!

잽싸게 뛰는데! 홍주의 채찍이 발목에 와 감긴다!
무서운 힘으로 이연을 끌어당기는 홍주! 속수무책 끌려간다!
그런데 짱돌에 맞아 쓰러졌던 무영이, 칼로 채찍 베어 버린다!

홍주 (열 받아서 무영에게) 넌 누구 편이니!
무영 (이마의 피를 닦으며) 방금 짱돌로 내 뒤통수 깐 게 누구더라?
홍주 (권총 두 자루를 꺼내서, 튀는 이연 뒤에다 '탕탕탕!' 태연히 갈기면서) 호랑이 새끼가 소심하게 왜 이래.
이연 아, 따거!! (잡아먹을 듯 돌아보며) 죽을래?
홍주 (불량하게 손짓) 갖고 와!

그런데! 홍주와 무영 뒤편으로 '붉은빛 안개' 피어오르는 것 보인다!

이연 붉은 안개?! (예상했다. 준비한 복면으로 입 틀어막으며) 야! 뒤에!!
홍주 수작 부리지 마!
무영 (돌아보면 둘을 뒤덮듯 몰려오는 안개!!) 홍주야!!

붉은 안개가 무영과 홍주를 가득 에운다! 그 속에 어른거리는 그림자!
무영이 안개를 막듯 홍주 감싸 안고! 안개 속으로 단검을 날린다!
안개 서서히 걷히면서, 누군가 무영이 던진 단검을 입에 물고 모습을 드러낸다!
용병단의 우시우치보다!

이연 (기다렸단 듯이 씩 웃는) 드디어 한 놈 기어 나왔네?

마침내! 첫 번째 용병단을 마주한 세 산신!
호텔 레스토랑에서 여희와 함께 야차들에게 포위되다시피 한 이랑의 모습 교차되면서!

9화 끝

시니가미

용병단

10

#1	숲 (낮)
	9화 엔딩에 이어, 용병단의 우시우치보를 마주한 세 사람!
이연	(기다렸단 듯이) 드디어 한 놈 기어 나왔네?
무영	너 누구야?!
우시우치보	전쟁터에서 내 이름만 들어도, 적들이 소변을 지리곤 했지. 놀라지 마라. (거만하게) 시니가미 용병단의 우시우치보.
자막	우시우치보 - 일본 설화에서 맹독으로 동물을 사냥하는 요괴
우시우치보	(의기양양한 얼굴로 셋을 보는데)
무영	(멍한 표정으로) 뭐야 그게??
이연	(복면 풀고) 조선 요괴 사냥하고 다니는 놈들.
홍주	(위아래 훑으며) 실제로 보니까 별 것도 아니네.
무영	뭔지 몰라도 넌 빠져. 조선 산신들 '친목' 다지고 있잖아.
우시우치보	(부들부들) 이것들이… 감히 날 무시해?

하더니, 시계를 본다! 이어 손가락을 '딱' 울리면, '왈칵' 피를 토하는 홍주와 무영!

우시우치보　니들은 '맹독'이 그득한 안개를 마셨어!

홍주　(피를 퉤 뱉고, 살벌해진 얼굴로) 뒤지고 싶냐?

우시우치보　뒤지는 건 여러분인데? 내가 만든 독은 나만 해독할 수 있거든.

이연　용병단 중에 독술사가 하나 있다더니. 경성 우물에 독을 풀고 다닌 게 네놈이지?

우시우치보　(뽐내며) 내 명성을 들었구나? 보물을 넘겨. 그럼 이것들 목숨은 살려 주마.

이연　(단호히) 웃기지 마. (하는데)

홍주　어?!!

홍주 귀에서 피가 줄줄 흐른다! 무영이 얼른 닦아 준다! 이연의 얼굴도 굳었다!

우시우치보　(통쾌하게 웃으며) 앞으로 길어야 1시간! 니들은 온몸의 피가 빠져나가며, 고통스럽게 죽게 될 거다!

무영　(분노로) 젠장! 겨우 저런 놈한테!!

우시우치보　(이연에게) 어때? 보물이랑 바꿔서 친구들 살릴래? 아니면….

이연　(말 끝나기도 전에) 바꿔.

이연이 보물을 들고, 우시우치보에게 다가간다!

홍주	안 돼! 연아! 보물이 놈들 손에 들어가면!
이연	방법이 없잖아. 토끼를 잡으려면 토끼 굴에 들어가는 수밖에.
홍주	(무영을 마주 보며) 토끼??

이연이 보물 자루 내민다! 놈이 경계하듯 물러선다!

이연	(내미는) 옜다.
우시우치보	(되려 당혹스럽다) 뭐가 이렇게 쉬워? (하며, 자루를 잡으면)
이연	(주머니 꽉 쥐고) 해독제.
우시우치보	(뺏으려는데 이연이 끄떡도 안 하는) 내놔!!
이연	생각해 보니까, 해독제를 손에 넣는 제일 쉬운 방법은 말이야.

놈의 등 뒤를 보며 미소 짓는 이연!
놀란 우시우치보가 돌아보면! 어느새 기척도 없이 뒤에 서 있던 홍주와 무영!

홍주	(무서운 힘으로 주먹 내리꽂고) '폭력'이지.
무영	(받아서 발로 까고) 옛날부터 우린 이걸 '토끼몰이'라고 불렀다.

우시우치보, 신음하며 나가떨어진다. 이연이 보물 '쏙' 품에 챙겨 넣고.

이연	스미마셍. 우리 셋 다 남의 말을 워낙 안 믿는 성격이라.
무영	(엎어진 놈의 등에 자연스럽게 올라앉고) 시작해.

홍주가 어디선가 무기 가져와 쏟아 놓는다.
장검, 단검, 중식도, 권총, 채찍, 망치 등등, 트렁크에 있던 물건들.

이연 너 뭐 전쟁 나가니?!

홍주 (중식도 집어 들고 설렌 듯) 나박썰기? 채썰기? 아님 돌려깎기? 에이. 깔끔하게 그냥 다져 버리자.

이연 너무 빨리 죽잖아. (단검을 잡고, 우시우치보 얼굴을 빤히) 성형 수술을 할까? 눈이랑 코 살짝 키우고. 턱 좀 쳐내면….

우시우치보 (버둥거리며) 이… 이 미친놈들!!

무영 (홍주에게 망치 건네주는) 이걸로 해.

홍주 (예쁜 미소로) 좋아. 이제부터 해독제가 나올 때까지, 온몸의 뼈가 하나씩 아작 날 거야.

무영이 우시우치보의 두 발을 포박하듯 잡고, 이연이 양팔을 붙잡는다.
그 옆구리 향해, 힘껏 망치를 휘두르는 홍주 모습에서.
푸른 하늘을 비추는 화면. 그 위로 둔탁한 비명 소리 들린다.

#2 숲 / 용병단의 거점 (낮)

용병단의 유키, 뉴도, 오오가마 셋이 남아서.

뉴도 우시우치보는 어디로 가 버린 거야?

오오가마 (귀 기울이며) 소리가 들려… 우시우치보다! 옆에 누가 있어!

뉴도 그 자식, 혼자 보물을 차지하려고!

유키 하여튼 지 밖에 모르는 이기적인 놈!! (튀어 가는) 내가 갔다 올게!

오오가마 (따라가며) 같이 가! 유키!!

#3 숲 (낮)

홍주가 피 묻은 망치를 들고, 살짝 숨 몰아쉰다. 그 얼굴에 점점이 핏방울.

우시우치보는 만신창이가 돼서 엎어진 채 신음한다.

이연은 한가롭게 나무에 기대앉아 있고. 무영의 안색이 창백하다.

무영의 코에서 주룩 코피가 흐른다. 얘들 몰래 코피 닦아 낸다.

이연 교대해 줄까?

홍주 (얼굴에 핏방울 우아하게 닦으며) 아직 시작도 안 했는데? (우시우치보에게) 어이. 내가 조선의 산신 중에 힘이 제일 세거든? 힘 조절해서 패는 게 더 어렵단 말이야.

우시우치보 (끝까지 피식) 나라 잃은 산신 따위가 말이 많네.

홍주 (열 받았다. 망치 꽉 쥐고) 지금부터 딱 세 대 깐다. 삼세번 안에 해독제 안 나오면, 대가리 깨지는 거야.

우시우치보 (미소) 아무리 발버둥 쳐도 니들은, 오늘 여기서 죽어.

홍주 웃어?

대답 대신, 입을 오물거리는 우시우치보! 오물거리는 속도 점점 빨라진다!
무영이 코피를 닦으며, 그 모습 주시하다가!

무영 홍주야! 피해!!

그와 동시에, 우시우치보가 입에서 침을 잔뜩 뿜어낸다!
이연이 번개같이 몸을 날려, 홍주를 안고 구른다! 이연의 등에 흩뿌려지는 침!
곧바로 겉옷 벗어 던져 버린다! 침이 닿은 곳마다 산화돼 녹아 버린다!

무영 (이연이 구한 게 분한 듯이) 젠장. 몸이 안 움직였어!
이연 (녹은 흔적 가리키며) 저놈의 '진짜 주특기'야.
우시우치보 (킬킬 웃는데)
홍주 놔 봐!

살벌해진 얼굴로 우시우치보에게 다가간다!
또 입을 오물거리며 침을 모으는데! 그 얼굴에 사정없이 주먹을 날리는 홍주!

홍주 한 대.
우시우치보 (지금까지와 다른 힘에 당황해서) 잠깐만!!
홍주 (퍽!!) 두 대.

우시우치보 (큰 소리로 대장을 부르는) 대장!!!

홍주 (아랑곳없이 마지막 일격) 세 대.

경고한대로 딱 세 대 팬다! 우시우치보 날아가 바위에 머리를 '쿵' 부딪친다!

무영 (달려가 확인하고) 죽었어!

이연 (씩 웃고, 혼잣말처럼) 이제, 세 명 남았네.

무영 죽이면 어떡해?

홍주 저게 자꾸 열 받게 하잖아!

무영 (이연에게 간다. 거칠게 멱살 잡고) 처음부터 알고 있었지?! 저놈이 궁지에 몰리면 독을 뿜는다는 거!

이연 (태연히) 응.

무영 왜 말 안했어?!!

이연 니들은 내 보물 말고 관심도 없었잖아.

홍주 나쁜 자식.

무영 (홍주에게) 당장 여길 떠야 돼! 놈의 부름을 듣고, 용병단이 올 거야!

홍주 (분해서) 전부 해치우면 되잖아!

무영 이 상태론 안 돼. 나가서 해독할 방법부터 찾자.

죽은 우시우치보를 버려 두고, 자리를 뜨는 두 사람.

이연 (뻔뻔하게 따라붙는) 같이 가자. 얘들아!

#4 반도 호텔 / 카페 겸 레스토랑 (밤)

그 시각, 반도 호텔에서는! 야차들이 손님 하나 테이블에 눕혀 놓고 물어뜯고 있다!

이랑이 여희 손을 꼭 붙잡고, 놈들 사이를 헤쳐 나간다!

그런데! 달아나던 '최면술협회' 청년이 둘 사이로 뛰어들면서 손 놓쳐 버린다!

'어디야?' 이랑이 여희를 찾고 있다!

야차가 된 손님들, 이랑에게 덤벼든다! 아무리 베어도, 죽지 않고 일어서는 야차들!

이랑과 떨어진 여희는, 홀로 울고 있는 아이를 구해 테이블 밑에 숨는다!

야차 하나가 그리 다가온다! 다급히 아이 입을 틀어막는 여희!

덮개 밑으로 야차의 발 보인다!

위태로운 순간! 아이가 울음을 참으며 테이블 다리 건드린다!

테이블에서 유리잔 떨어진다! 여희, 아슬아슬하게 손을 뻗어 유리잔 잡아냈다!

서성이던 야차 멀어진다! 그제야 아이 데리고 테이블 밑을 빠져나오는데!

다른 놈이랑 딱 마주쳤다! 놈을 날려 버리려 소리를 지른다!

하지만 '삐이…익' 목이 상해서 인어의 목소리 제대로 나오지 않는다!

야차가 무서운 기세로 여희를 덮쳐 오는 찰나! 이랑이 나타나 놈을 벤다!

곧바로 이랑과 여희를 포위하듯 모여드는 야차들!

'젠장!!' 낭패감으로 이를 악무는데! 뒤에서 부두목이 '여기다 이놈들아!!'

신주 (몸을 날리며) 이랑님!!!

이랑 조심해! 저놈들 아무리 베어도 계속 일어나!

부두목 어서 사모님부터! 방으로!

이랑과 여희가 레스토랑 빠져나간다!

신주 (부두목에게) 빨리! 우리도 피해야 돼!

급히 자리를 뜨는데 장식장 넘어가며 부두목을 덮친다!
부두목이 장식장에 하반신 깔렸다! 신주가 장식장 들어 올린다! 생각보다 무겁다!
야차들이 두 사람에게 다가온다! 이대로라면 죽는다!
조금 떨어진 기둥 뒤에서, 재유가 초조한 얼굴로 둘을 지켜보고 있다!

인서트 플래시백

낮에 홍주의 당부 스쳐 간다. '오늘 이 호텔에서 무슨 일이 일어나도 넌 끼어들지 마.'

이러지도 저러지도 못하는 상황! 야차들이 막 신주와 부두목을 덮친다!

재유가 눈 질끈 감더니 튀어 나가 놈들을 베기 시작한다!

부두목　(감동해서) 재유 씨!!
신주　우리 룸메이트 최고!

#5　반도 호텔 / 202호 (밤)

매난국죽이 방문 앞에서 귀를 기울이고 있다. 다들 겁에 질린 상태.
밖에서 '쾅쾅!' 다급히 문 두드리는 소리 들린다!
도망친 남자 손님이다. 야차에게 물렸는지 피를 흘리고 있다.

손님(E)　살려 주세요!
매화　어떡하지?
난초　뭘 어떡해!!
손님(E)　제발 문 좀! 문 좀 열어 줘요!
국희　(문 열려는 매화 막아서며) 언니 미쳤어?
매화　저러다 죽어!

매화가 문을 열려는데, 국희와 난초가 온 몸으로 그녀를 막아선다.

#6　반도 호텔 / 2층 복도 (밤)

남자 손님이 다급히 다른 방을 두드리고 찾아 헤맨다. 204호의 문 열린다.

#7 반도 호텔 / 204호 (밤)

'이연과 이랑의 방'이다. 204호에 들어와 정신없이 수건으로 피를 닦는 손님.

시간 경과되면, 손님이 야차로 변했다. 섬뜩한 모습으로 방 안을 서성인다.

#8 반도 호텔 / 2층 복도 (밤)

이랑이 여희를 데리고 2층으로 올라왔다. 204호로 뛰어간다.

이랑 내 방에 들어가서 절대 나오지 마!

여희 너는?!

이랑 애들 데려올게!

밖에서 들리는 기척! 방에 있는 야차 반응한다!

문 하나를 사이에 두고, 방 안팎의 상황 긴장감 있게 교차된다!

여희 (방에 들어가려다 말고) 나도 같이 가!

이랑 금방 올게!

이랑이 자리를 뜬다. 멀어지는 이랑을 보며, 방문을 여는 여희.
그 순간! 안에서 남자가 여희의 어깨를 '콱' 문다!! 여희의 비명 소리!
'안 돼!!' 이랑이 날듯이 달려가 광폭한 얼굴로 놈을 때려잡는다!
두려운 듯 주저앉는 여희! 물린 부위에 이빨 자국 선명하다!

#9 숲 (낮)

유키와 오오가마, 굳은 얼굴로 '우시우치보의 시신' 내려다보고 있다.

오오가마 (충격으로) 믿을 수가 없어. 우시우치보가 죽다니.
유키 조선의 산신이 이 정도로 강하단 말이야? (아이처럼 동동) 앙! 보면 볼수록 매력적이야!!
오오가마 우… 웃기지 마. 우시우치보 우리 중에 제일 약하다.
유키 요 귀여운 구미호가 어디로 갔을까. (주위를 훑다가 이연이 사라진 방향에서 씨익) '서쪽'이구나?
오오가마 (말리는) 유키. 단독 행동은 안 돼!
유키 (벌써 뛰어가며) 구경만 하고 올게!
오오가마 유키!!!

#10 계곡 (낮)

이연이 홍주를 부축해서 걷고 있다. 홍주의 안색 눈에 띄게 나빠졌다.
뒤에서 묵묵히 걷는 무영, 식은땀을 흘린다. 자꾸 눈앞이 흐려지는 모양새.

홍주 기분 탓인가? 아까도 여기 지나간 거 같은데. (불안해진) 이 숲은 대체 뭐지?
이연 404호에 있던 그림 속이야. 용병단 중에 환술을 쓰는 놈이 있어.
홍주 그만한 실력자가 있다고?
이연 그놈이 아마 '대장'이겠지.

그때 뒤에서 걷던 무영이 힘없이 고꾸라진다.

이연 쟤 왜 저래!
홍주 독 때문이야! 아까부터 나도 눈앞이 흐려지고 있어!
이연 (다가가서 쿡쿡) 야. 너 괜찮냐?
무영 (그 와중에도 이를 악물고) 내 몸에 손대지 마.
이연 그럼 발은 어때? (발로 쿡쿡하는데 반응이 없다. 놀란) 야! 천무영!!
홍주 (뒤에서) 연아….

돌아보면, 홍주가 나무를 짚고 서서 '피눈물'을 흘리고 있다.

이연 (막 허물어지려는 홍주 안아 들며) 홍주야!

홍주 (이연을 꼭 붙잡고) 생각보다 훨씬 강력한 독이야!

이연 (피눈물 닦아 주며) 여기서 쓰러지면 안 돼!

그 순간! '바스락' 하는 발자국 소리! 보면, 유키가 서늘한 얼굴로 서 있다!

유키 마음에 안 드는 그림이야.

이연 (벌떡 일어나서) 용병단이지?!

유키 (홍주 가리키며 뾰족한 투로) 애인이니?

이연 (홍주 앞을 막아서듯) 내 친구다. 왜?

유키 (표정 풀리는) 애인 아니구나? 다행이다! (활짝) 나는 유키야. 잠깐만. (하더니, 돌아서서 꼼지락꼼지락)

이연이 방어 자세 취하는데, 유키가 등 뒤에서 꺼내 보인 것.

유키 (눈사람 손에 들고, 수줍게) 눈사람 좋아하니?

이연 뭐??

유키 유키는 연인한테 눈사람 선물하거든. (주고, 볼에 쪽) 내 마음이야.

찰나! 홍주가 득달같이 일어나 유키를 발로 까 버린다! 눈사람 굴러 떨어진다!
피눈물 닦고, 둘 사이에 딱 버티고 서서!

홍주 싸가지 없는 게… (이연 손짓하며) 이거 내 거거든?

유키 (눈빛 돌변해서) 미친년. 유키가 가질 거야.

홍주 붙어 볼래?

유키 이긴 쪽이 갖는 거다.

무기 꺼내 들고, 팽팽하게 서로를 노려보는 두 사람!

이연 미안한데… 니들 멋대로 내 소유권 정하지 말아 줄래?

홍주, 유키 (동시에 이연 밀어 버리며) 넌 빠져!!

유키가 먼저 홍주를 덮친다! 막아 내는 홍주!
아픈 몸으로도 사정없이 유키를 몰아붙이는 홍주다! 유키는 날쌔지만, 홍주에게 힘으로 밀린다! 짧고 굵게 싸우는데!
홍주가 또 피눈물 흘린다! 그 틈에 번개같이 홍주 찌르려는 유키!
순간, 이연이 막으며 유키를 후려친다!

유키 (분한 듯) 치사해! 비겁해!

이연 비겁한 건 너야. 이쪽은 독을 마셨거든?

그때 '유키!!' 멀리서 오오가마가 유키를 부르는 소리 들린다.

유키 어? 오오가마다! 나 가야 돼!

이연 왜지? 보물을 뺏으려면 지금이 적기 아닌가?

유키 (뒤통수를 긁적) 맞는데, 멋대로 움직이면 대장한테 혼나.

이연 (다가가며) 니네 대장은? 어디야?

유키 곧 만나게 될 거야.

하자마자, 빠르게 숲 사이로 사라지는 유키!

홍주 연아! 잡아야 돼!!

#11 숲 / 모처 (낮)

이연이 유키를 쫓는다! 짧은 추격전 끝에, 막 유키의 뒷덜미를 잡으려는 순간!

유키가 돌아서서 이연의 팔을 붙잡고 '얼음!!'

닿자마자, '확' 뿌리치는 이연! 살짝 닿았는데도, 이연의 팔에 서리가 낀다!

이연 (바로 서리 털어 내고) 당할 뻔 했네!

유키 (!!) '나'를 알아?

이연 소문을 들었어. 용병단에 아이스께끼 같은 요괴가 하나 있다고.

유키 내 진짜 이름은 '유키온나'야.

자막 유키온나 - 설녀(雪女). 일본 설화에 등장하는 눈의 정령

이연 유키온나, 나랑 거래하자.

유키 거래??

이연 (보물 자루 내보이며) 이거 찾으러 왔지? 수호석이랑 금척.

유키 (눈을 빛내는) 그거… 유키 줄 거야?

이연 (금척 꺼내 들고) 보물 하나 줄게, 해독제 줄래?

금척과 이연을 번갈아 보며, 고민하는 유키.
이연이 싱긋 웃는다.

#12 반도 호텔 / 204호 (밤)

이랑이 급히 여희의 상처 확인한다! 상의 살짝 벗기고, 입으로 독을 빨아내려는데!

여희 (막으며) 하지 마! 그러다 너까지 잘못되면….

이랑 (단호히 붙잡고) 상관없어!

필사적으로 독을 빨아서 뱉어 내길 반복하는 이랑.
그런 이랑을 보는 여희의 눈빛 서글프다.

여희 이제 됐어. (살짝 밀어내고) 나 죽는 거지?

이랑 너 안 죽어.

여희 그 괴물들같이 변해서… 이랑 너도 못 알아보면 어떡해?

이랑 (손 붙잡고) 내가 그렇게 안 둬.

여희 (반쯤 포기했다. 슬픈 미소로) 나 궁금한 거 있어. 그때 왜 나 구해줬어? 처음 우리 클럽에 온 날 말이야.

이랑 그날, 기분이 너무 더러워서 콱 죽어 버리고 싶다 생각했거든. 그러다 무대에 있는 널 봤는데… 아무도 귀 기울여 듣지 않는 노래를 잘도 행복한 표정으로 부르고 있더라.

인서트 플래시백

무대에서 인어 모습으로 노래하는 여희.
그런 여희를 홀린 듯 바라보던 이랑의 얼굴 스쳐 간다.

이랑 왠지 모르겠는데. 그 노랠 들으면서 살아야겠단 생각이 들더라고.

여희 (미소) 고마워. 지금 이 순간, 내 옆에 있어 줘서. 나 혼자였으면 되게 무서웠을 거 같아.

이랑 옆에 있을게. 평생.

이랑이 주머니에서 이연이 준 보석함 꺼내 열어 보인다.

여희 반지?

이랑 (먼저 반지를 끼며) 이연이 줬어.

여희 (웃다 말고) 이런 장면을 내가 얼마나 꿈꿨는데… 왜 하필 오늘이래.

이랑 (반지 끼워 주며, 조금 민망한 듯) 나는 태생이 삐뚤어진 놈이라 사소한 불행에도 툭하면 넘어지곤 했는데. 평생을 내 과거로부터 도망치며 살았는데 말이야. 이제 더는 넘어지지도, 도망치지도 않을 생각이야. 네가 있으니까.

처음으로 내뱉는 이랑의 속내. 따뜻하게 눈을 마주하는데.
여희가 문득 고통스럽게 몸을 떤다.

이랑 왜 그래?

여희 추워….

이랑 (이마 짚어 보더니) 몸이 불덩이야!

여희를 안고 침대로 옮긴다.
사시나무처럼 떠는 여희를 감싸 안고, 어쩔 줄 모르는 이랑.

이랑(E) 나 어떻게 해야 돼… 형.

#13 경성 거리 (밤)

아키라가 운전하는 자동차. 은호가 굳은 얼굴로 뒷좌석에 앉아 있다. 옆에 앉은 경무국장이 손을 잡으며.

국장 좀 웃어.

은호 (확 빼고) 손대지 마.

국장 (웃는) 혼인 전까지는 지켜 줄게.

은호 (아키라에게) 여기서 내려 줘요.

아키라 집으로 안 가시고요?

은호 (싸늘한 투로) 걷고 싶어.

국장 내려 줘.

우렁각시가 양품점 앞에서 돌아오지 않는 여희를 기다리고 있다.

우렁각시 (초조하게) 여희 얘는 왜 이렇게 안 와. 뭔 일 있는 건 아니겠지. (하다가) 아냐. 호텔에 이연님도 있고, 이랑도 있으니까.

우렁각시의 눈에 자동차 서는 것 보인다. 은호가 먼저 차에서 내린다.
'은호(야)' 반갑게 부르려다 입 틀어막는다.
차에서 은호와 인사하는 경무국장의 얼굴 보인다.
우렁각시 사색이 된다. 국장을 태운 자동차 자리를 뜨면.

우렁각시 은호야!!
은호 사장님. 왜 여기 계세요?
우렁각시 방금 그…그 남자 누구니?!
은호 총독부 경무국장 가토 류헤이.
우렁각시 맞지? 네 형부라던?!
은호 (자조적으로) 형부였는데, 이제 부부가 될 거래요.
우렁각시 그게 무슨 소리니?
은호 나보고 시집가래요. 저 인간한테.
우렁각시 은호야. 내 말 똑똑히 들어. (잠시 망설이다) 그 남자… '사람' 아니야.
은호 (쿵!!!!)

#14　　오복 양품점 (밤)

우렁각시가 찬물을 떠다 준다. 은호가 '벌벌' 떨리는 손으로 찬물 들이켜고.

은호　　그게 무슨 말씀이세요? 경무국장이 사람이 아니라니.
우렁각시　　내가 봤어. 두 눈으로 똑똑히.

인서트 플래시백

이연과 처음 마주친 경무국장, 우렁각시를 습격하던 장면 스쳐 간다.

은호　　사람이 아니면 뭔데요!!
우렁각시　　'진짜 정체'가 뭔지는 나도 몰라. 하지만 은호야. 그놈한테 가까이 가선 안 돼.
은호　　언니가 본 '비밀'이란 게 설마… 언니는 알았던 거야! (울컥) 그래서 그 자식이 언니를 죽인 거예요!!
우렁각시　　(단호히) 잊어라. 잊어야 돼. 네가 어찌할 수 있는 상대가 아냐.
은호　　그럼 저 어떡해요? 엄마도 아빠도 내 편이 아닌데. 언니의 원수, 조국의 원수인 놈한테 시집가서, 눈 가리고 귀 막고 살아요? (울음 터지는) 대체… 난 뭘 위해서 지금까지 싸운 거야!

은호가 조용히 흐느낀다.
그런 은호를 아프게 바라보던 우렁각시, 폭탄이 든 나무 상자 들고 와서.

우렁각시 조직원 동지가 죽었다. 현의옹 아니 그레고리 씨한테 들었어.

은호 (울다 말고 충격으로) 죽었다고요?!

우렁각시 경무국장 명령이었대. (상자 열며) 이거.

은호 다이너마이트는 왜요?

우렁각시 내가 하마. 경무국장, 그놈 끌어안고 같이 죽는 한이 있어도.

은호 사장님이 왜요!!

우렁각시 난 네가 아는 것보다 오래 살았다. 이 땅에서 온갖 풍파란 풍판 다 겪었는데, 어쩌냐? 난 아직도 조선이 어여쁘고, 조선을 지키려는 네가 그저 어여쁜 걸.

은호 (그 손을 잡고) 혼자 힘으론 안 돼요. (결심한 듯 폭탄을 보며) 저한테, 생각이 있어요.

#15 선우은호의 집 (밤)

집에 돌아온 은호가 엄마, 아빠에게 당차게 말한다.

은호 할게요.

아빠 뭐??

은호 '이 결혼' 하겠다고요.

#16 계곡 (낮)

홍주가 무영을 무릎에 누인 채, 힘겹게 나무에 기대앉아 있다. 무영은 겨우 의식을 붙잡고 있는 상태. 이연이 검은색 환약을 내보이면.

홍주 (환약 두어 알 집어 들고) 해독제?! 이걸 그 계집애가 줬단 말이야?

이연 응.

홍주 걔가 왜?

이연 '금척'이랑 바꿨어.

무영 (듣다 말고) 뭐? 그걸 일본 요괴한테 넘겼다고?!!

이연 응. 일단 니들은 살려야 될 거 아냐.

홍주 (마음 급해서) '진짜' 해독제일까.

이연 그건 아무도 모르지.

홍주 넌 어느 쪽인데?

이연 난 해독제.

홍주 (그 말에, 먹을까 말까 갈등하는데)

무영 (막으며) 먹지 마. (이연에게) 네가 우릴 살린다고? 난 너 안 믿어.

이연 (태연히) 나도 너 안 믿어.

무영 (진심으로) 적어도, 홍주 목숨 갖고 도박하진 마라.

그러자 순식간에 환약 입에 털어 넣는 이연!

홍주 연아!!

이연 (말릴 새도 없이 삼키고, 무영에게) 도박은 이렇게 하는 거지.

무영 (기가 차서) 미친놈.

이연 조금 있으면 알게 되겠네. (발랑 드러누워) 내가 못 일어나면 '독'이야.

불안한 눈길로 이연을 바라보는, 두 사람 시선에서.

#17 반도 호텔 / 2층 복도 (밤)

신주, 부두목, 재유가 2층으로 뛰어 올라온다. 아까 여희를 문 남자 손님이 복도에 엎어져 있다. 죽은 것 같은 모양새.
재유가 먼저 놈을 넘어가고, 부두목이 기분 나쁜 듯 잽싸게 놈을 뛰어넘는다.
둘 다 203호로 들어갔다. 마지막으로 신주가 놈을 넘어가는데.
놈이 신주 다리를 '콱' 움켜쥔다! 신주 넘어진다! 신주 발 물어뜯는다!
'악!!' 다행히 신발이다! 필사적으로 발길질을 하며 버틴다!
집요하게 신주 종아리를 향해 기어드는 야차!
아슬아슬한 사투를 벌이고 있는데! 부두목이 놈의 다리를 잡고 '쭉' 끌어낸다!

부두목 (신주 일으켜 주며) 나, 너한테 빚 갚은 거다.

신주가 어깨를 '툭' 친다. 처음으로 마주 보고 '씩' 웃는 두 사람.

#18 반도 호텔 / 203호 (밤)

부두목이 큼직한 청주 꺼내 온다. 병째 들이켜고 신주에게 건넨다.

신주가 마시고 재유에게 주면.

재유 저는 남이 입 댄 거 안 마십니다.

부두목 (등짝을 찰싹) 아 색시같이 그러지 말고!

마지못해 한 모금 마신다. 호탕하게 어깨동무하는 부두목.

부두목 아까 우리한테 달려올 때 좀 멋있대?

재유 지나가는 길에 두 분이 있었을 뿐이에요. 의미 부여하지 마세요.

부두목 꼭 저렇게 초를 치네!

재유 각자 모시는 분이 다르니까요. 그분들이 적이 되면, 우린 죽어라 싸울 수밖에 없어요.

부두목 그건, 그때 일이고.

신주 이제 우리 룸메들은 한 식굽니다. 나, 재유 씨, 그리고… 너 이름 뭐야?

부두목 (시선 피하며) 되는대로 불러. 부두목이라든가.

신주 이름이 없어?

부두목 말하기 싫어.

신주 (꼬시며) 말해 줘. 우리 같이 사선을 넘은 사이잖니. 응?

부두목 (잠시 고민하다 작게) 이미연.

신주 미연이? 마적단 이름이 이렇게 고울 일이야?!

부두목 (버럭) 두목이 지어 주신 이름이야! 두목 성을 따서 이가에다가 '쌀 미, 인연 연' 쌀밥 배불리 먹음서 살라고!

신주 (파하하) 미연아!!

부두목 (주먹질하다가) 야! 근데 두목이랑 사모님은 무사하실까?!
신주 (잊고 있었다. 벌떡) 이랑님 잘못되면 나 이연님한테 죽어!

#19 계곡 (낮)

환약을 먹은 이연, 두 눈 꼭 감고 미동도 없다.

홍주 연아… 연아. 일어나 봐.
무영 (초조한 표정으로 보고 있다)
홍주 무영아. 어떡하지? 연이가…. (하는데)
이연 (벌떡 앉으며) 놀랐지?
홍주 야!!! (주먹으로 어깨를 '퍽!') 장난칠 게 따로 있지!
이연 미안. (환약 주머니 들고) 예상대로 이건 해독제야.
홍주 무영아! 우리도 얼른 먹자! (하면서, 환약에 손을 뻗는데)
이연 (냉큼 약 감춰 버리고) '공짜'론 안 되지.
홍주 뭐??!

#20 숲 / 용병단의 거점 (낮)

유키와 오오가마 돌아왔다. 바위에 걸터앉아 한가롭게 머리 매만지는 유키.

뉴도 구미호 말고, 산신이 또 있다고?!
오오가마 그놈들이 우시우치보. 죽였다.

뉴도 (경악해서) 하… 시니가미 용병단의 수치네! 대장한테 뭐라고 하지?

오오가마 그…그전에 우리가 쓸어버리자.

뉴도 어떤 놈들이야!

유키 구미호 빼고, 나머지 둘은 독을 먹고 약해져 있어.

뉴도 그래??

유키 (해맑게) 근데 내가 해독제 줬어.

뉴도 (살기등등해서) 너 미쳤어?

오오가마 (뉴도 말리며) 유키, 이유가 있다.

뉴도 무슨 이유?

유키 짠!! (금척 보여 주는) 이거 해독제랑 바꿨어.

뉴도 (금척 들여다보며) 진짜다. 진짜 보물이야! 근데 무슨 꿍꿍이지?

유키 아군이 필요한가 보지.

뉴도 다른 두 놈은? 어때?

유키 여자 산신이랑 잠깐 붙어봤는데, 꽤 쓸 만하더라고. 독을 먹었는데도.

뉴도 근데도 해독제를 줬어?!

유키 (빙글거리며) 놈들은 뉴도 '네가 가진 재주'를 모르잖아.

오오가마 훌륭한 육체, 많으면 많을수록 좋다.

뉴도 (그 말에) 일리가 있네. (유키에게 금척 넘겨주며) 네가 가지고 있어.

습관처럼 캐러멜 까먹는 뉴도. 유키와 오오가마가 짓궂게 웃는다.

#21 계곡 (낮)

홍주가 이연을 잡아먹을 듯 노려보며.

홍주 해독제 내놔.

이연 '조건'이 하나 있어.

무영 (어이가 없는 듯) 조건?

이연 니들은 내 보물을 노리고 여기 왔지? 근데, 우리한테 지금 공동의 적이 생겼어.

홍주 용병단.

이연 (환약 보여 주며) 해독제 줄 테니까, 그놈들 같이 잡자. 그게, 내 조건이야.

홍주 (덥석 챙기고) 난 무조건 하지. (하고, 약 꿀꺽 삼킨다)

이연 (무영에게 내밀며) 천무영.

무영 (차갑게) 난 필요 없어. 네 도움 같은 거.

이연 나라고 네가 예뻐서 이러는 줄 아니? 나랑 끝장을 보더라도, 일단 여기서 나가야 될 거 아냐. 참고로, 네가 환장하는 '보물' 중 하나도 이제 놈들 손에 있다.

무영 (입술 지그시 깨문다)

홍주 (단호히) 자존심 부리지 말고 먹어. 내가 연이었으면, 용병단이고 자시고 너 죽게 내버려 뒀어. 홍백탈.

무영 (이연에게) 하나만 묻자. 나까지 살리려는 이유가 뭐야.

이연 (진지하게) 네 재주가 필요해. 아까 본 그 여자, 눈과 얼음을 부리는 요괴야. 넌 '불'이잖아.

무영, 그제야 환약을 입에 넣는다. 이연이 그 모습 의미심장하게 보고 있다.

인서트 플래시백

9화에서 이연이 작전 회의를 하던 장면이다.

이랑 그놈의 산신들이 뛰어들면? 일본 요괴 넷에다, 산신 둘까지 '6대1'의 싸움이야!

이연 그게 이 작전의 '진짜 목표'야. (중략) 홍주랑 무영이가 우리 편이 된다면? 그래서 이게 '용병단 대 산신들'의 싸움이 된다면?

다시 현재의 숲. 이연이 무영에게 손을 내민다.
마지못해 그 손잡고 일어서는 무영. 이연이 그런 무영을 보며 지그시 웃는다.

#22 내세 출입국 관리 사무소 (밤)

탈의파가 홀로 탁주를 마신다. 현의옹이 앞치마 두르고, 광주리에 전을 부쳐 왔다.

현의옹 여보야. 내가 전 좀 부쳐 왔어. 빈속에 술 먹지 마요.

탈의파 (그런 남편을 말없이 보다) 가끔 당신의 그 밑도 끝도 없는 다정함이 좀 무서울 때가 있어.

현의옹 내가??

탈의파 (술을 홀짝) 그렇게 다정한 이가, 날 어떻게 견디고 사나.

현의옹 (자기 머리 쓰다듬으며) 나도 내가 장해요.

탈의파 (피식)

현의옹 (술 따라 주고) 난 당신이 지금도 멋있다? 이 여자 아님 누가 견딜까. '삼도천 주인'이라는 지옥같이 무거운 자리를.

탈의파 말이 주인이지 손발 묶인 간수나 마찬가지야. 인간 세상에 개입해도 안 돼, 너무 쌩까도 안 돼. 누구랑 싸울 수도 없고, 누굴 지킬 수도 없고.

현의옹 대신 '그 아이들'을 키웠잖아. 막판에 무영이가 좀 삐끗했지만, 다들 훌륭한 산신이었어. 당신은 좋은 스승이고.

탈의파 (되새기듯) 좋은… 스승이라.

현의옹 그래서 난 믿어. 그 아이들은 결국 옳은 선택을 할 거라고. 그리고 이길 거라고.

탈의파 취했나? 이상하게 반반해 보이네.

현의옹 (반색) 그래? (술 더 따르려는데 술병 비었다) 술 더 갖다 줄게.

탈의파 여보. (돌아보면) 내일 나랑 극장 구경 갈래?

현의옹 (놀라서) 극장?! 당신이??

탈의파 연이가 그러더라. 삼도천에 처박혀 있지 말고 나가서 세상을 보라고.

현의옹 (활짝 웃는) 좋지요.

현의옹 사라지면, 탈의파가 먼 곳을 보며 가만히 되뇐다.

탈의파 오도전륜대왕께서 극장에 오시려나. 수호석과 금척을 둘러싸고, 뭔 일이 벌어지고 있는지 알아내야 돼.

#23 반도 호텔 / 204호 (밤)

여희의 상태 급속도로 나빠졌다. 핏기 하나 없는 얼굴.
이랑이 절박한 모습으로 그녀의 손을 잡고 있다. 여희가 눈물 그렁그렁한 채.

여희 내 소원 몇 개 남았니?
이랑 소원?
여희 아직 남았지? (눈물 꾹 참으며) 내 '마지막 소원'이야. 이 방에서 나가 줘. 가능하면 아주 멀리.
이랑 (단칼에) 싫어.
여희 (눈물을 툭툭 흘리며) 그럼 하나만 약속해 줘. 내가 변하면… 네 손으로 죽여 줘.
이랑 아니. (흔들림 없는 눈빛으로) 같이 죽어 줄게. 여우는 죽을 때까지 오직 한 여자밖에 없으니까.

결심을 굳힌 이랑의 얼굴, 되레 고요하다.

여희 (서럽게 울며) 난 있지. 경성이 참 좋았다? 구락부의 불빛도, 화려한 무대 의상도, 우리 양품점 보석들도, 온통 반짝반짝한 것들 천진데… 경성에서 젤 빛나는 건 이랑. 너였어.

눈물 닦아 주며 서글피 웃는 이랑.
그런데 그 손을 꼭 잡고 있던 여희의 손, 이불 위로 '툭' 떨어진다. 의식을 잃었다.

이랑 (숨소리 귀 기울이며) 아직 숨은 붙어 있는데! (정신없이 깨우는) 안 돼! 죽지 마! 여희야!! 제발 좀 일어나 봐!

아무리 흔들어도 깨어나지 않는 여희. 이랑이 꾹 참았던 눈물을 흘린다.
그때 문밖에서 들리는 소리. 속삭이듯 '이랑님!!' '두목!'
신주와 부두목이 방에 들어왔다. 재유는 마지못해 불려 온 상태.

이랑 저놈이 치료할 방법을 안다고?!
부두목 어서 말해 봐요. 진돗개 씨!
재유 (망설이는데)
이랑 (멱살을 잡고) 말해! 아니면 여기서 너 죽고 나 죽는 거야!
신주 (말리며) 우리 보스들 싸움에 왜 엄한 인어 아가씨가 희생돼야 해요? 재유 씨도 그거 바라지 않잖아.
재유 (잠시 고민하다) 저도 그냥 주워들은 게 다예요.

인서트 플래시백
9화. 홍주가 재유를 데리고 무영을 만난 장면에서 생략된 얘기다.

홍주 (질겁해서) 야차? 재수가 없어서 (재유 가리키며) 쟤나, 우리 애들이 당하면 어쩌려고.

무영 (재유에게) 가능하면 방에서 나오지 말고. 만에 하나 물리면 '붓꽃의 암술'을 달여 먹어.

다시 현재. 이랑이 미심쩍은 얼굴로.

이랑 붓꽃의 암술? 그게 통한다고?

재유 무영님이 만들어 낸 요괴예요. 통할 겁니다.

부두목 당장 붓꽃을 어디서 구하죠?! 밖에 나간다 해도….

이랑 (여희 돌아보며) 숨이 끊어지기 전에 살려야 돼!

신주가 눈 질끈 감고, 뭔가를 떠올리려 애쓰고 있다.

부두목 (툭 치며) 자냐?

신주 (생각났다) 호텔 레스토랑에 있어요!!!

이랑 붓꽃이?!

인서트 플래시백

최면술협회 강의 들으러 간 신주가, 식당 장식장 훑던 장면 스쳐 가고.

신주 프랑스 식당이잖아요! 내가 봤어! 장식장에서 샤프란!

부두목 샤푸??

신주 향신료야! 붓꽃의 일종이고!

이랑 (곧바로 나가려고) 갔다 올게!

부두목 (막으며) 거길 간다고요? 야차가 득실득실한데?

이랑 가야 돼. 비켜.

부두목 그럼 저도 갑니다!

신주 저도요!

재유 (신주와 부두목이 같이 가자고 눈치 주는데) 제가 거길 왜 갑니까?

신주 (애교) 우리 한 식구.

재유 미안하지만, 제 목숨은 제 것이 아닙니다. 저희 사장님 거예요.

이랑 시간 없어! 가자!

부두목 (재유에게) 우리 사모님 좀 부탁합시다!

신주와 부두목이 무기를 챙긴다. 이랑이 마지막으로 여희를 한 번 보고.

이랑(E) 제발 내가 올 때까지만 버텨 줘.

#24 숲 / 산신들의 거점 (낮)

세 사람, 자리에 둘러앉았다. 이연은 주위의 꽃을 꺾는다. 홍주와 무영은, 아까보다 몸을 회복한 상태지만, 아직 온전치는 않다.

무영 (이연에게) 그래서? 이제 뭘 어쩔 건데?

이연 (네 송이 꽃을 바닥에 놓고) 용병단 넷 중에 (한 송이 제거) 독술사가 죽었으니까, 상대는 셋, 우리도 셋이야.

무영 놈들 전력은?

이연 (꽃 가리키며) 1번은 설녀 유키온나. 이놈은 다들 봤고. 2번은 이름이 뭐더라? 가마솥 비슷한 거였는데.

홍주 (기억 더듬는다)

인서트 플래시백

아까 유키를 부르는 목소리에 이어, 유키가 '오오가마다! 갈게!' 하던 모습!

홍주 오오가마. 오오가마라고 했어!

이연 그래. 오오가마!

무영 뭔데 그게?

이연 수백 년 묵은 일본 두꺼비 요괴.

자막 오오가마 - 일본 설화에 나오는 거대한 두꺼비 요괴

홍주 문헌에서 본 적 있어! 머리는 깡통이고, 힘만 센 놈이지? 내가 처리하지.

이연 좋아. 마지막 하나는 이름도, 재주도 몰라. 얘가 대장인 거 같은데. 이놈은 내가 상대할게.

무영 그 셋을 어떻게 잡을 건데?

이연 금척을 내줬으니 (품을 툭툭) 이제 수호석을 노릴 거야. 내가

'미끼'가 될게.

홍주 (곁눈질로 수호석 넣어 둔 곳 빠르게 스캔한다)

무영 그럴 필요가 있나? 그쪽도 너를 찾고 있을 텐데. 기다리면 오겠지.

이연 (일어서며) 앉아서 기다릴 시간이 없어. 어떤 자식이 호텔에 '야차'를 풀어서 말이야.

무영 (흥)

홍주 (따라 일어나며) 그럼 셋이 같이 가자.

이연 아니. 해독제를 먹어도 독이 완전히 해독되는 데는 시간이 필요해. 내가 놈들을 유인하는 사이, 몸부터 회복해.

이연이 자리를 뜬다. '연아!' 홍주가 자신의 무기를 들고 뒤따라가서.
이연의 몸 여기저기에 채찍, 단검, 권총 등등 무기를 챙겨 준다.

홍주 (따뜻하게) 혹시 몰라서.

이연 (권총 돌려주며) 사람도 아니고 총은 뭐 하러?

홍주 (받고) 여차하면 나 불러야 돼.

이연 (약간 감동해서) 내가 애도 아니고 걱정은.

뒤에서 무영이, 이글이글한 눈으로 두 사람을 노려보고 있다.
이연이 시야에서 사라지면 빙긋 웃는 홍주.
무영은 모르지만, 홍주 손에 '보물 자루' 들려 있다. 무기 쥐여주면서 털었다.

#25 숲 / 모처 (낮)

이연이 숲을 헤치고 다닌다. 용병단은 보이지 않고. 어디선가 '단내'가 난다.

이연 무슨 냄새지? 분명히 아는 냄샌데. (멈춰서 눈을 감고) 인공적인 단내… (갸웃) 캐러멜?

냄새 나는 방향으로 걸음 옮긴다.
풀숲에 '노인' 하나 뒷모습으로, 다리를 잡고 신음하고 있다.

이연 (경계하며 다가가) 너 누구야?
뉴도 (다 죽어 가는 소리로) 살려 주세요.

돌아보는 노인의 얼굴, 용병단의 뉴도다!

이연 어? 이 노인네 어디서 봤는데!
뉴도 묘연각이요.

인서트 플래시백
8화에서 이연과 독각귀 도박할 때, 관중들 사이에 있던 뉴도의 얼굴 스쳐 간다.

이연 아, 기억난다. (경계를 푼 듯) 토착신이냐?
뉴도 예. 여긴 대체 어딥니까? 제가 왜 갑자기 숲에 있는지….

이연 그건 네가 해명해야지. (머리채 잡고) 어떻게 들어왔니?

뉴도 아까까지 호텔에 있었어요. 괴물들이 막 쫓아와서 문 열린 방에 뛰어들었다가.

이연 (머리채 놔주고, 성가신 듯) 한심하네. 호텔보다 여기가 더 위험해. 일본 요괴들이 쫙 깔렸거든.

뉴도 저 좀 데려가 주시면 안 돼요? 괴물한테 쫓기다 발목을 접질려 갖고.

이연 가지가지 하네. (돌아서는) 업혀.

뉴도 고맙습니다.

이연의 어깨에 손을 얹으며, '씨익' 웃는데!
순간 이연의 검이 '푹!!' 그를 관통한다! 이연이 돌아보지도 않고 찔렀다!

뉴도 (!!!!) 어째서….

이연 (검을 확 뽑고 돌아서서) 아까 그 독술사한테 같은 냄새가 났거든. 묘하게 기분 나쁜 단내.

뉴도 (표정 싹 바뀐다. 서늘하게 웃으며 캐러멜 내보이는) 이거.

이연 용병단이지?

뉴도 감이 좋구나?

이연 네가 대장이냐?

뉴도 내 이름은 뉴도야. 오오뉴도. (싱긋) 난, 네가 마음에 들어.

이연 (멱살을 잡고 피식) 넌 내 취향 아니야.

하자마자, 이연을 움켜쥐고, 입을 '쩍' 벌리는 뉴도!! 그 눈동자 노랗게 변하더니 입에서 검은 연기가 뿜어져 나와 둘을 감싼다!
그런데! 연기 걷히면, 이연 눈앞에 믿을 수 없는 광경!
뉴도와 '몸'이 바뀌었다!! (이하, 바뀐 이연은 뉴도(이연)으로 표기)

뉴도(이연) (아연실색해서) 뭐야… 내가 왜 거기 있어!
이연 오오뉴도란 말이야. 몸을 바꿀 수 있는 요괴란 뜻이야.

자막 오오뉴도 - 일본 설화에서 몸을 자유자재로 바꿀 수 있는 요괴

이연 (포즈 취하며) 어때? 내 새로운 몸?
뉴도(이연) 내놔! 내 나이스 바디! (덤비는데 칼에 찔린 부위 욱신거린다) 윽….
이연 (쯧쯧) 그러게 칼침은 왜 놔 가지고. 넌 네가, 우리 머리 꼭대기에 있는 줄 알지? (아까 일을 갚듯 머리채 잡고) 조선의 산신 따위, 아무것도 아냐.

뉴도(이연)가 반격해 보지만, 이연의 발길질에 나가떨어진다!

이연 (신경도 안 쓰고, 품을 뒤적이는) 그나저나 보물이 어디 있나.
뉴도(이연) (질기게 일어서며) 네놈들한텐 절대 못 줘.
이연 어라??

몸 여기저기 다 뒤져 봐도 보물이 없다. 이어 그악스러워진

얼굴로.

이연 (이연의 검을 뉴도(이연) 목에 대고) 보물 어디다 뒀어?

뉴도(이연) 없다고?? (보물을 넣어 뒀던 곳 확인한다. 진짜 없다) 설마….

인서트 플래시백

아까 홍주가 몸 여기저기에 무기 꽂아 주던 모습 떠오른다.

뉴도(이연) 젠장… (하다 말고, 미소) 보물은 나한테 없어.

이연 그래? (하더니, 사정없이 급소를 가격!! 뉴도(이연) 쓰러지면!) 셋 중 한 놈이 가지고 있겠지. 뭐. (하고, 곧장 홍주와 무영을 찾아 나선다!)

뉴도(이연) (의식 희미해지는데) 안 돼. 가면 안… 돼. (하다가, 눈을 감는다!!)

#26 반도 호텔 / 로비 (밤)

촛불 꺼진 로비. 이랑이 한쪽에 몸을 숨기고, 로비 내려다본다.

레스토랑에 야차들이 집중적으로 모여 있다.

부두목 식당에서 아주 잔치를 벌이고 있구먼.

신주 (막막해서) 저길 어떻게 뚫고 들어가죠?

대답 대신, 놈들을 가만히 관찰하는 이랑.

아까 같은 공격성은 보이지 않는다. 그저 목적 없이 서성일 뿐.

이랑(E) (보며) 아까보다 움직임이 둔해졌어.

야차1이 그쪽으로 다가온다. 이랑이 작심한 듯 야차에게 접근한다!

부두목 (기겁해서 속삭이는) 어디 가시려고요?!

하는데, 보란 듯이 야차1의 눈앞에 서는 이랑!
놈이 허공을 더듬는다! 닿을 듯 말 듯! 신주와 부두목이 무기 움켜쥔다!
이랑이 숨을 멈춘다! 그러자 이랑을 못 찾고 지나쳐 가는 야차!

부두목 (신주에게) 저걸 못 본다고?

이랑이 주변에 있는 물건을 놈의 앞으로 굴린다.
야차1이 그 소리를 따라 '총총총' 쫓아간다. 그 모습을 보고.

이랑 불빛이 없는 한 저것들 우리 못 봐. '소리'에만 반응하고 있어.
신주 최대한 소리 없이 접근하면 되겠네!
이랑 (잠시 고민하다) 아니. 반대로 소리를 이용할 거야. 신주는 레스토랑으로 가서 붓꽃을 확보해. 우리는 야차들을 한쪽으로 유인한다. 최대한 요란하게.
부두목 제가 고함이라도 지르고 튈까요? 이 한 몸 불살라!
이랑 그러다 네가 잡히면 신주가 위험해져.

부두목　　그럼?

이랑　　(로비 끝에 있는 전축 가리키며) 전축. 전축을 저기(지배인 룸)로 옮겨서 놈들을 유인하자.

신주　　아! 노랫소리가 들리면 그리 몰려들 테니까!

부두목　　탁월한 작전이십니다. 두목. (신나서) 가자!

신주를 뒤로 하고, 이랑과 부두목이 잽싸게 움직인다.
전축은 안내데스크 근처에 있다.
야차들 오가면 발소리 죽이고 멈춰 서는 등. 최대한 눈에 띄지 않게 이동.
야차들 근거리에서 스쳐 간다.
신주가 손에 땀을 쥐고 지켜보는 가운데, 전축 앞에 도착했다.
부두목이 조심스럽게 전축을 들고 막 돌아서는데.
안내데스크 너머로, 누가 고개를 내밀며 속삭이듯 '저기요!!'
놀라서 전축 떨어트릴 뻔했다. '최면술협회'의 그 청년이다.

부두목　　아우 깜짝이야!!

청년　　(쪼르르 기어 나와서) 저 좀 데려가 주세요!

이랑　　(사람에겐 가차 없다. 차갑게) 꺼져.

청년　　(애처로운 척) 아까 나 막 때렸잖아. 불쌍하지도 않아요?

이랑　　꺼지라고.

청년　　그러지 말고 같이 좀 삽시다! (전축 잡으려고) 나도 도울게!

이랑　　(살짝 언성 높아져서) 손대지 마!

부두목　　(야차들 반응하는 것 보인다) 두목! 쉿쉿!

이랑　(하는 수 없이) 방해되면 죽여 버린다.

청년　오케이. 있는 듯 없는 듯.

청년이 둘을 방패 삼아 따라 붙는다. 살금살금 지배인 룸으로 이동하는데, 뭔가를 보고 우뚝 멈춰 서는 청년.
뒷모습으로 영혼 없이 서성이는 사내 '최면술협회' 회장이다.
앞서가는 이랑과 부두목은 그 상황을 알지 못한다.

청년　(작게) 회장님… (반응이 없다. 어깨를 붙들고) 회장님. 저예요.

회장이 돌아선다! 멀쩡한 뒤태와 달리, 앞쪽은 핏자국 역력하다! 이미 야차로 변한 회장이, 그를 향해 입을 '쩍' 벌린다!
그 자리에 얼어붙는다! '아아… 아(악)' 막 비명이 터져 나오려는 순간!
부두목이 어느새 전축 내려놓고 달려와 청년의 입 틀어막는다!
동시에! 이랑이 단숨에 회장의 목 꺾어 버린다!
입 틀어 막힌 채로, 청년이 소리 없이 비명을 지른다! 신음 소리 새 나온다!
주변의 다른 야차 두 셋이 돌아본다!
부두목이 청년의 복부에 주먹을 꽂는다! 그제야 청년의 몸부림 멈춘다!
청년을 냉정하게 부려 두고, 다시 전축을 옮긴다.
청년이 뒤늦게 정신을 차리고, 둘을 따라가 전축에 손을 보탠다.

짜증스레 그를 노려보는 부두목.

청년　(떨리는 심장 붙들고) 내가 이런 데서 죽을 위인이 아니거든요.

이랑　입 다물어.

#27　숲 (낮)

시간 경과되면. 뉴도(이연)가 부스스 눈을 뜬다.

뉴도(이연)　(벌떡 일어나며) 어디 갔어, 이 자식!!

칼 맞은 곳에 통증 짜하다. 상처 붙들고 잠시 신음한다.
품 안을 뒤져 본다. 캐러멜만 '우수수' 나온다.
짜증스레 던져 버리고, 안주머니에 손을 넣으면 '손거울' 들어 있다.
거울로 자신의 모습 비춰 본다. 미친놈처럼 헛웃음이 새어 나온다.

뉴도(이연)　하… 얼굴 하나 믿고 살아온 세월이 어언 1600년인데. 이게 뭔… 잠깐! 이 얼굴로 집에 가면 지아가 뭐라고 할까?! (거울 팍 깨 버리고) 안 돼! (벌떡 일어나서) 넌 내 손에 죽는다!

부상당한 몸으로 절뚝거리며 놈을 쫓기 시작한다. (이하, 마음의 소리는 전부 '이연 목소리'로)

뉴도(이연)(E) 홍주랑 무영이는 무사할까? (불안해져서) 만일 그놈이 '나'인 척 하면….

걸음 재촉한다. 정신없이 뛰다 걷다 나무뿌리에 걸려 나동그라진다.
절망해서 주먹으로 땅을 내리치며.

뉴도(이연)(E) 보물은 털렸고! 몸은 이 모양이고!! 랑이 생사도 모르는데…. (울분으로) 대체 뭐가, 어디서부터 잘못된 거지?!

#28 반도 호텔 / 로비 (밤)

신주가 벽을 따라 조심히 레스토랑 쪽으로 접근하고 있다.

#29 반도 호텔 / 지배인 룸 (밤)

이랑이 지배인 룸 안으로 들어왔다.
부두목이 밖에서 문을 활짝 연다. (문은 밖에서 양쪽으로 열리는 구조)
부두목과 청년은, 열린 문 뒤에 바짝 숨었다.
곧바로 레코드를 재생하는 이랑.
'그런데 왤까.' 소리가 나지 않는다?!
보면, 레코드가 깨져 있다! 낭패다! '안 돼….' 미쳐 버릴 것 같다!
급히 지배인 룸을 뒤진다! 룸에 있는 시계 초침 소리가 더욱 크게 느껴진다!

캐비닛 안에서 겨우 레코드 찾았다!
아무 레코드나 뽑아 들고, 떨리는 손으로 재생!
드디어! 로비 가득 음악 소리 울려 퍼진다!
이랑도 문 뒤로 몸을 숨긴다! 야차들 그쪽으로 몰려들기 시작한다!

#30 반도 호텔 / 204호 (낮)

같은 시각, 매난국죽이 죽어 가는 여희를 돌보고 있다.
매화가 곁에서 식은땀 닦아 주고, 죽향도 함께 간호한다.
여희의 숨소리 거칠어진다. 방 안에 묘한 긴장감 흐른다.
늘 차분하던 매화의 손도 오들오들 떨린다. 국희가 더는 못 견디겠다는 듯.

국희 살아 있는 거 맞아?!
매화 숨소리가 들려.
국희 이러다 괴물로 변해서 우리 잡아먹기라도 하면?
매화 숨이 붙어 있는 한은 괜찮댔어.
국희 불안해 죽겠네! 재유 오라버니는?
매화 사장님 찾으러 갔어.
난초 (진저리 치며 일어나) 난 나갈래! (문 쪽으로) 이런 데서 죽기 싫어!
매화 난초야!
국희 (매화에게) 냅 둬.

매난국죽은 모르지만, 복도에 야차가 서성이고 있다! 난초가 막 문을 열려는데!

죽향　(앞을 가로막고) 나가지 말랬어요!

난초　(밀어 버리는) 비켜! 이 계집애야! 여기 있는 거 끔찍해 죽겠어!

죽향　(다시 막으며) 밖에 뭐가 있을지 모르잖아요!

방문 '쿵쿵'대는 소리에, 밖에 있는 야차들 204호로 다가온다!

난초　사장님이 오셨을지도 몰라!

죽향　죽어도 못 나가요!

난초　얘 미쳤나 봐?

죽향　이연, 이랑님이 언니 구해 준 건 생각 안 나요? 내 목숨도 빚졌어!

죽향을 무섭게 노려보더니, 결국 국희 옆으로 가 앉는 난초.

난초　짜증나.

국희　너무 열 내지 마. 만약 숨이 끊어지면 내가 끝낼게.

국희가 남몰래 숨겨 온 '단검' 보여 준다. 난초의 눈빛 반짝인다.

국희　이런 데서 개죽음 당할 순 없잖아.

#31 반도 호텔 / 레스토랑 (밤)

로비에 음악 소리 계속 울려 퍼진다! 그 사이 신주가 레스토랑에 진입했다! 전시된 향신료 병 보인다!
식은땀을 흘리며 병을 더듬다가, 마침내 샤프란 병을 찾아낸다!
병을 갖고 막 돌아서는 순간! 눈앞에 있던 야차3과 '툭' 부딪친다! 향신료 병 날아간다! 아슬아슬하게 받았다!
그런데 하필, 남은 야차들이 지배인 룸으로 이동하는 길이다!
야차들, 향신료 병을 쥔 신주의 손을 밟고 지나간다! 무음으로 신음하는 신주!!

#32 반도 호텔 / 로비 (밤)

대부분의 야차들 방으로 유인했다!
이랑이 한쪽 문을 닫으며 '닫아!' 외친다! 부두목이 반대쪽 문을 닫는데! 한 놈이 안에서 손을 뻗어 부두목 움켜쥔다!
부두목 삐끗하는 사이, 몇 놈이 몸을 내민다! 문 사이에 끼었다!
필사적으로 문을 밀고 버티는 세 사람!
셋이 문을 밀고 버티는 가운데! 밖에 남은 야차들 몇이 그들을 덮쳐 온다!
이랑이 문에서 손을 떼고, 놈들을 상대한다!
부두목과 청년, 밀리기 시작한다! 버티고 있는 청년의 안색 파랗게 질린다!

청년 나… 난 죽기 싫어….

부두목 야 인마! 정신 차려!!

청년 미안합니다!

부두목 안 돼!!

손 놓고 달아나 버린다!
청년이 잡고 있던 문 열리면서, 야차들 쏟아져 나온다!
끝까지 한쪽 문 막고 있던 부두목을 덮친다!
찰나! 이랑이 부두목 뒷덜미를 잡고 뒤로 '확' 밀어낸다!
부두목을 구하고, 대신 온몸을 물어뜯기는 이랑!
'두목!!' 부두목이 절규한다!

#33 숲 / 산신들의 거점 (낮)

홍주가 쌀쌀한지 어깨 매만진다. 말없이 제 웃옷을 벗어 둘러 주는 무영.

홍주 우리, 여기서 나갈 수 있겠지?

무영 왜 그런 말을 해?

홍주 그냥. 이상하게 예감이 안 좋아. 산신 시험 보던 날 아침에, 딱 이런 기분이었거든.

무영 시험은 통과했잖아.

홍주 대신, 제일 아끼던 걸 잃었지. 니들.

'이연 얼굴을 한 뉴도'가 숨어서 둘을 지켜보고 있다.

무영	난 아닐 걸?
홍주	(장난스레 흘기는) 뭐?
무영	(진심으로) 난 늘 너를 보고 있었어. 홍주야. 넌 이연을 바라보고 있었지만. 너만 보고 있었다. 난. 갖고 싶었어. 가질 수 없단 걸 알면서도.
홍주	(자신도 같은 마음이다) '첫사랑'은… 왜 항상 어긋나 버리는 걸까.
무영	(애달픈 미소로) 첫사랑이니까.
홍주	(농담처럼) 만일, 그놈의 첫사랑이 혼자 보물을 차지하면, 어쩔 거야?
무영	고민되네. 이연한테 뺏기는 거보단 낫지만.

그때 '얘들아!!' 이연이 돌아왔다. 놈이 뉴도라는 건 까맣게 모르고.

홍주	연아!
무영	왜 혼자야? 용병단은 어쩌고?
이연	(헝클어진 모습으로) 기습을 당했어!
홍주	설마 도망 온 건 아니지?
이연	대신 놈들 거점을 알아냈어.
홍주	어디야?
이연	니들 몸은 어때? 독은 다 해독됐나?
홍주	출혈은 멈췄는데 아직 백 프로는 아냐.
이연(E)	(뉴도 목소리로) 잘 됐네. 용병단 소굴로 유인하자.
이연	(홍주 이끌며) 일단 가자. 지금이 기회야.

놈이 홍주와 무영을 유인한다!

#34 숲 (낮)

뉴도(이연)가, 칼에 찔린 상처 붙잡고 신음하는데, 어디선가 '뉴도!! 어디야?' 부르는 목소리 들린다. 오오가마다.

뉴도(이연)(E) 용병단이다!

나무 뒤로 빠르게 몸을 숨긴다!! 곧바로 오오가마와 유키가 나타난다! 뉴도(이연)가 숨을 죽이고!

뉴도(이연)(E) 지금 눈에 띄면, 난 죽은 목숨이다. (초조하게) 이 몸으론, 놈들을 상대할 수가 없는데….

유키 (휙 둘러보고) 야! 뉴도 없잖아!

오오가마 이상하다? (뒤지며) 근처에서 발소리 났는데?

유키 산신들 중 하나 아냐? (히죽) 구미호면 좋겠다.

뉴도(이연)(E) (터질 듯한 긴장감으로) 제발… 딴 데로 가라.

오오가마가 뉴도(이연)가 숨은 곳 바로 옆까지 왔다! '들켰나….' 눈 질끈 감는데!

오오가마 (이연 바로 옆에서 외치는) 여기 없나 봐!

유키 가자!

뉴도(이연)(E) (오오가마 돌아서면) 살았다. (안도하다가 문득) 어쩌면, 이건 기회일 지도 몰라! 놈들은 내 몸이 바뀐 걸 모른다. (갈등하는) 하지만 만약 들키면….

멀어지는 그들 뒷모습을 보다가, 벌떡 일어서서!!

뉴도(이연) 여기야!!

유키와 오오가마, 동시에 돌아본다! 유키와 오오가마, 가까이 다가오더니!

유키 (얼굴 들이대고 서늘하게) 너 뭐야?

뉴도(이연) (들켰나?!) !!!!!

#35 반도 호텔 / 로비 (밤)

부두목이 이랑에게서 야차들 떼어 내고, 닥치는 대로 벤다!
'이 개새끼들이! 감히 우리 두목을!!' 울면서!
붓꽃을 확보한 신주도 뛰어온다! 이랑이 온몸을 뜯기고도, 버티고 일어선다!
셋이 같이 싸우면서 겨우 야차들에게 벗어난다!

이랑 (그 와중에도) 붓꽃은?!

신주 (병 들어 보인다) 여기요!

이랑 부축해서 2층으로 달아나는데.
도중에 '같이 갑시다!!' 아까 도망친 '최면술협회' 청년 뻔뻔하게 튀어나온다.

부두목 이 새끼가….
청년 (비굴한 태도로) 아까는 고의가 아니었어요!
신주 (부두목에게) 산 사람은 살려야지!
부두목 (이랑에게) 어떻게 할까요?

더없이 차가운 표정으로 눈짓하는 이랑. 그것을 신호로, 부두목이 청년의 하체에 사정없이 발길질! 청년 넘어진다!
야차들 몰려오고 있다. 일어나려는데 다리에 힘 풀린다.

청년 살려 주세요!! 제발!

신주가 걱정스레 뒤를 한 번 돌아본다. 이랑이 냉정한 얼굴로 돌아선다.
2층으로 멀어지는 그들 뒤로, 청년의 비명 소리 들린다.

#36 숲 (낮)
유키가 뉴도(이연)를 의심스레 훑는다.

유키 (툭 치며) 너 뭐야?

뉴도(이연) (들킨 건가. 당혹감 감추며) 뭐가?

유키 (빤히 훑다가) 꼴이 왜 이러냐고.

뉴도(이연) (그제야 안도하며) 구미호한테 당했어.

살벌한 시선으로 바라보는가 싶더니, 갑자기 웃음을 터뜨리는 두 사람.

오오가마 빠가! 뉴도 빠가다!

유키 꼴좋다. 그렇게 빼기더니!

뉴도(이연) (위기는 넘겼다. 약간 자신감 붙어서) 닥쳐.

오오가마 (웃다 말고 정색) 근데, 너 진짜 뉴도야?

뉴도(이연) (!!!) 뭐?

오오가마 구미호랑 몸 바꾸면 되잖아. 설마 바뀐 건 아니지? (이리저리 보며) 우시우치보가 없으니 요괴 본체를 알 수가 있나?

유키 그러게? (의심스레) 네가 뉴도면 왜 안 바꿨어?

뉴도(이연) (잠시 굳었다가) 그놈은 말이야. 우리에 대해 생각보다 많이 알고 있어. 내 재주까지.

우시우치보 어떻게 알았지?

유키 하긴. 나에 대해서도 알더라. 대장한테 말해야 되는 거 아냐?

뉴도(이연) 대장??

유키 대장 어디 있어? 네가 알 거 아냐.

뉴도(이연)(E) (사색이 돼서) 내 몸을 훔쳐 간 놈이 대장이 아니었어! 시니가미 용병단은… 넷이 아니라 '다섯'이구나! 그놈 지금 어디… (하다가, 얼어붙는) 설마!!

#37 조선 총독부 (밤)

경무국장이 독한 술 홀짝거리며 아키라에게 묻는다.

국장 용병단은? 아직 소식 없니?

아키라 '대장'이 반도 호텔에 있답니다.

국장 사토리가?!

아키라 네. 사토리가 참전한 이상 그 호텔은, 사람이든 요괴든 전원… '몰살'이에요.

#38 반도 호텔 / 로비 (밤)

야차로 변한 손님들, 전부 쓰러져서 나뒹굴고 있다!
쓰러진 미스 조선 보이고! 그 앞에서, 피에 흠뻑 젖은 채 싱긋 웃는 것!
아까 죽은 줄 알았던 '최면술협회' 청년이다!
낭패감으로 먼 곳을 바라보는 뉴도(이연)!!
홍주와 무영을 유인하는 '가짜 이연' 모습 위태롭게 교차되면서!

10화 끝

덫

II

#1　　숲 (낮)

10화 엔딩에 이어, 이연의 얼굴 사색이 돼 있다.

뉴도(이연)(E)　시니가미 용병단은 넷이 아니라 '다섯'이구나! 그놈 지금 어디…. (하다가, 얼어붙는) 설마!!

유키　뭐 해? 빨리 대장한테 가자!

뉴도(이연)　나 다쳤잖아.

잠시라도 시간을 벌어야 한다. 애써 태연한 척 캐러멜을 까먹는 이연.

뉴도(이연)(E)　용병단은 다시 넷. 대장은 강력한 환술사. (낭패감으로 눈 질끈) 놈이 합류하기 전에 '내 몸'을 찾지 못하면…. (결심했다. 용병단에게) 우리가 잡자. 구미호랑 산신들.

오오가마　뭐?? 왜?

뉴도(이연)　우시우치보 죽고, 나까지 당했어. 보물은 1개 밖에 못 뺏었고.

대장이 뭐라고 할까.

오오가마 (!!) 대장 화나면 무섭다.

뉴도(이연) (손짓하며) 일단 모여 봐. 이제부터 니들은 말이야….

유키와 오오가마, 머리를 맞댄다.

뉴도(이연)가 뒷모습으로 뭔가 속삭이는 모습에서.

#2 숲 / 산신들의 거점 (낮)

'놈들 거점을 알아냈어.' 이연의 몸을 한 '뉴도'가 두 사람을 유인하려는데.

무영 (어깨 붙들고) 수호석은?

이연 응?

무영 놈들한테 기습당했다며? 털렸냐?

이연 (살짝 당황했다가, 도리어 당당히) 그건 내가 물어야 되는 거 아닌가? 누구 짓이니 내 보물.

무영 뭔 소리야? (하면서, 홍주를 보면)

홍주 (뻔뻔하게) 왜? 뭐? 털린 놈이 바보 아냐?

이연 (홍주 붙잡고) 내놔.

홍주 (뿌리치는) 용병단 잡는 게 먼저라며!!

투덕투덕 다투기 시작하는 이연과 홍주. 무영이 고개 절레절레 흔든다.

#3 반도 호텔 / 로비 (밤)

용병단 대장 '사토리'가 쓰러진 야차들 사이를 태연히 걸어간다. 콧노래 흥얼거리며 위층으로 향한다.

#4 반도 호텔 / 204호 (낮)

여희의 호흡 불안정해졌다. 국희, 작심한 듯 단검을 들고 다가온다.

매화 무슨 짓이니!

국희 기다릴 만큼 기다렸어. 이랑님 안 오잖아.

매화 오실 거야!

난초 안 오면? 우린 어떡해?

국희 사장님이 그러셨어. 살고 죽는 자리는 스스로 정하는 거라고. 난 살고 싶어.

매화 (막으며) 조금만 더 기다려 보자!

국희 비켜!

국희가 매화에게 덤벼들면서 둘이 몸싸움 벌어진다!

죽향 제발 그만하세요! (난초에게 말려 보라고) 언니!

난초 넌 빠져!

국희가 몸싸움 끝에 매화를 패대기친다!

국희 (의식 없는 여희를 향해) 미안해요.

막 칼을 꽂으려는 순간! 방문 '벌컥' 열린다! 이랑이다!
놀라서 얼른 칼을 감추는 국희!
이랑이 다친 몸으로 다가와 여희 상태 확인한다. 아직 숨은 붙어 있다.

이랑 (침대 맡에 있던 국희에게) 고맙다.

국희와 매화, 눈 마주친다. 제 발 저린 듯 시선 피해 버리는 국희.
신주가 빠르게, 방에 놓인 물 주전자에 샤프란 우려낸다!

이랑 다들 나가도 돼.

매난국죽 (찝찝한 얼굴로 방을 나서면)

신주 (컵에 우린 물을 따라 가지고 와서) 드세요.

이랑이 컵을 받고, 의식 없는 여희를 안아 일으킨다.
여희 입에 흘려 넣어 준다. 하지만 여희는 아무 반응이 없다.

이랑 왜지? 왜 안 일어나는 거야?

신주 이랑님도 드세요. 얼른. (들은 척도 않는데) 많이 다치셨어요!

이랑 (넋을 놓은 듯) 필요 없어.

부두목 (버럭) 드십시오!!! 두목이 살아야 사모님도 살지! 내가… 구신주가… 목숨 걸고 지킨 당신이잖아. 그러니까 젠장! 좀 먹으라고!!

그제야 차에 입을 대는 이랑. 부두목과 신주 안도한다.
컵 내려 놓고, 절망한 얼굴로 여희를 바라본다.
'둘만 있게 해 주자.' 신주가 부두목을 끌고, 조용히 방을 빠져 나간다.

이랑 (여희 손잡고 애타게) 제발… 제발 일어나 줘.

#5 숲 / 산신들의 거점 (낮)
유키와 오오가마가 산신들의 거점을 찾았다.
보면, 이연이 '보물'을 뺏고자 홍주와 몸싸움 중이다.

오오가마 (머리를 긁적) 왜 지들끼리 싸우고 있지?
유키 알게 뭐야? 구미호는 뉴도가 맡을 거야. 넌 여자. 난 저쪽.

홍주가 이연을 공격하는 순간! 오오가마가 무서운 힘으로 홍주 제압한다!

이연 (반갑게) 왔구나!!
홍주 (열 받아서) 이건 또 뭐야?!

몸부림치는데 안 놔준다! 홍주 못지않은 괴력!

이연의 얼굴을 한 뉴도는 구경꾼처럼 보고만 있다! 무영이 그리 달려가는데!

유키 (그 앞을 가로막고) 네 상대는 나야.

무영 (흔들림 없이 자세 잡으며) 와라.

유키 이쪽도 꽤 반반한데. 미안. 유키는 바람둥이가 아냐.

유키가 무영을 얼리려고 손을 뻗는다! 하지만 쉽게 잡히지 않는 무영!

무영 (냉정하게 반격하며) 유키온나. 네 재주는 이미 알고 있다!

분한 듯 무영을 쫓지만, 이리저리 피하며 유키를 가격하는 무영이다!

홍주가 힘으로 오오가마 메친다! 이연 발밑으로 날아와 엎어지는 오오가마!

벌떡 일어나더니, 반사적으로 눈앞의 이연을 덮친다!

이연 (피하며! 작게) 멍청아! 나 뉴도야!

오오가마 (안 믿는) 뉴도 우리랑 같이 있다!

이연 (속 터져) 그놈이 구미호라고!!

오오가마 거짓말! 나 바보 아니다!

홍주 (달려와 오오가마의 양팔을 꺾어 잡고) 연아! 베어 버려!

그런데 이연! 아까 홍주가 허리에 꽂아 준 '단검' 뽑아 들고!
기습적으로 홍주를 베어 버린다! 그 모습 본 무영이 '안 돼!!!'
그와 동시에 유키의 손이 무영에게 닿았다!
'얼음!' 무영의 움직임 얼어붙듯 멈춘다!

홍주 (칼에 찔린 상처 맨손으로 막으며) 이연! 네가 왜!
이연 이연이 아냐. 시니가미 용병단의 뉴도다.
오오가마 아, 그럼 이쪽이 우리 편이네?
유키 (무영 얼려 놓고 다가오며) 뭐? 아까 그놈이 구미호라고?

용병단 셋이 홍주를 포위했다!
'진짜 이연'이 조금 떨어진 곳에서, 초조하게 이 싸움 지켜보며!

뉴도(이연)(E) 홍주야. 무영아… 조금만 버텨 줘!
홍주 (이를 악물고) 덤벼!
이연 (싱글싱글 웃으며) 3대 1이다. 포기해.
오오가마 힘이 꽤 세더라고.
홍주 (다친 몸으로 이연을 확 들이받으려는데, 뒤에서 유키가 끌어안고!)
유키 잡았다!! 나 너 싫어. 특별히 폐 속까지 꽁꽁 얼려 줄게.

홍주 입에서 하얀 입김이 나온다! 움직일 수도 없다!
유키가 홍주 품 안에 있는 '수호석'을 '쏙' 빼 간다! 이제 보물은 둘 다 유키에게!
그런데! 심술궂게 웃던 유키가 '악!!' 단말마의 비명을 지른다!

얼어붙었던 무영이 어느새 다가와 유키의 등을 찔렀다!
'유키!!!' 분노한 오오가마가 무영을 덮친다!

유키 (충격으로) 저놈, 어떻게 내가 만든 얼음을!
이연 (한심한 듯) 너, 맛이 간 거 아냐?
유키 (분해서) 그럴 리가 없는데.
오오가마 (무영에게 덤비며) 감히 유키를 아프게 하다니!!

그 사이, 폐까지 얼어붙기 시작한 홍주! 숨을 쉴 수가 없다!
무영이 알아챘다! 들러붙는 오오가마 날려 버리고, 홍주의 양 볼에 손을 댄다!

무영 시간이 좀 걸릴 거야. 독 때문에 아직 힘이 완전치가 않아서.

무영의 손끝에서 피어오르는 온기! 오오가마가 무서운 힘으로 주먹질을 해댄다! 무영의 뼈 부러지는 소리 들린다! 그럼에도 흔들림 없이 홍주를 녹이는 무영!
홍주의 호흡 돌아온다! 얼었던 몸, 서서히 풀리기 시작!

이연 '불'을 쓰는 놈이야!!
유키 그래서 내 재주가 안 먹혔어! 뉴도! 저놈이랑 몸을 바꿔!!
이연 잠깐. (유키에게 무기 넘겨주며) 이 몸부터 망가뜨리자.
유키 좀 아까운데… (하면서도, 이연을 퍽퍽 찌르고) 오오가마! 그놈 잡아!
홍주(E) (손끝만 겨우 움직이며) 빨리… 빨리 좀 녹아라!

오오가마가 무영을 포박한다! 힘으로는 무영이 당할 수가 없다!
이연이 무영에게 다가온다! 몸을 바꾸려고, 입을 '쩍' 벌린다!
이연의 눈 색깔 노랗게 바뀌며, 입에서 검은 연기 솟아난다!
무영, 몸부림친다!
찰나! 기회를 놓치지 않고, 그 사이로 뛰어드는 뉴도(이연)!
놈의 얼굴 무섭게 굳는다! 하지만 이미 늦었다! 연기 걷히면 이연의 몸 돌아왔다!

뉴도 이 새끼가 감히!!

이연 (히죽) 찾았다. 내 몸! (하고, 픽 쓰러진다! 조금 전 찔린 상처 때문이다!)

뉴도 오오가마! 다시 간다! 꽉 잡아!

이연 (하늘 올려다보며) 제발… 제발 움직여라!

천둥이 몰려오는 소리 들린다! 하지만 그뿐, 부상당한 몸에 힘이 들어가지 않는다!
뉴도가 무영을 마주 보고, 다시 입을 '쩍' 벌린다! 검은 연기 솟아나는 순간!
홍주가 바람처럼 달려와 뉴도를 무릎으로 찍어 버리고 '연아!!!'
그와 동시에! 이연의 눈동자 변하더니 '쾅!!' 뉴도의 몸에 벼락 내리친다!

유키 악! 뉴도가! 뉴도가!!!

이연이 그런 유키를 덮치며 '수호석과 금척' 낚아챈다!

홍주와 무영도 위협적으로 일어선다! 판세가 바뀌었다!
오오가마가 다친 유키를 감싸듯 안아 들고 도망친다. 홍주가 그 뒤를 쫓는데.

무영 그만! 너도 출혈이 심해 홍주야!

아까 유키에게 찔린 상처 예사롭지 않다.
무영도 다리의 힘이 풀렸다. 오오가마의 구타로, 곳곳의 뼈가 으스러진 상태.
뉴도에게 당한 이연도 꼴이 말이 아니다. 다시 한 자리에 모여서.

홍주 (피식) 셋 다 엉망진창이네.
무영 (안도의 미소)
이연 (쓰러지듯 누워 품 안의 보물을 꼬옥) 그래도 우리가 이겼어.

나란히 누워 하늘을 본다. 어디선가 희미한 음악 소리 들린다.
그들 시선에서, 밤하늘 명멸하나 싶더니, 하늘이 실내의 천장으로 변한다.

#6 반도 호텔 / 404호 (밤)
누워 있던 모습 그대로, 셋을 둘러싼 배경 '호텔 404호'로 바뀌었다.

음악 소리는 방 안에 있는 구식 라디오에서 흘러나오고 있다.
처음 호텔에 들어왔을 때, 들리던 음악.

무영 돌아왔어!! 호텔이야!
이연 (주위 둘러보며) 하… 진짜 징글징글한 밤이었다.
홍주 다 같이 묘연각으로 가서, 상처부터 치료하자.
이연 (힘겹게 일어서는) 랑이… 랑이가 무사한지 확인해야 돼.
무영 (복도 내다보고) 야차들이… 사라졌어. 전부!
이연 (뿌듯하게) 자식… 그럴 줄 알았어!

#7 반도 호텔 / 204호 (밤)
이랑이 여희 손을 꼭 잡고 잠들어 있다.
여희가 마침내 눈을 뜬다. 보면 잠든 이랑, 온몸이 물리고 다쳐서 엉망이다.
보지 않아도 무슨 일이 있었는지 짐작이 간다.
상처에 손을 뻗는다. 차마 만지지도 못 한다. 눈물 '핑' 도는데… 이랑이 잠에서 깬다.

이랑 (벅차서) 일어났네?
여희 나… 안 죽은 거지?
이랑 (울컥) 아슬아슬하게 이승이야.
여희 나 때문에 다친 거야? 이렇게 엉망으로….
이랑 됐어. 네가 살아 돌아왔잖아. (가만히 안아 주며) 그거면 됐어.

여희	(이번엔 기쁜 눈물 흘리며) 무서웠어. 다시는 못 볼까 봐….
이랑	약속했잖아. 저승까지 따라가 줄 거라고.
여희	사랑해.
이랑	(!!) 뭐?
여희	(눈 마주 보고) 사랑한다고. 랑아.

이랑이 곧장 입을 맞춰 온다. 아름답게 입맞춤하는 두 사람 모습에서.

#8 묘연각 / 형제의 방 (낮)

이연이 툇마루에 걸터앉아 볕을 쪼이고 있다. 다친 상처에 붕대 감겨 있다. 매난국죽이 수다를 떨며 그 앞을 지나간다.

죽향	언니, 오늘 점심은 뭐예요?
매화	떡국 끓여 줄까?
국희	좋다. 고기 팍팍 넣어서.
난초	가래떡 좀 남겨 줘. 조청 찍어 먹게.

이연이 따스한 눈길로 그들을 본다. 간만에 찾아온 평화를 만끽하듯.

#9 묘연각 / 홍주의 방 (낮)

부상당한 무영은 침대에 누워 있고, 홍주가 곁에 걸터앉아 있다. 재유가 옆에서.

재유 사장님. 예약 전화 왔어요.
홍주 이번 주는 손님 안 받는다. (붕대 보이며) 니네 사장 칼 맞았다고 해.
재유 단체 손님이라는데요?
홍주 단체? (신나게 장부를 펴는) 몇 명이래?

#10 묘연각 / 형제의 방 (낮)
이랑이 씩씩거리며 나타난다.

이랑 천무영! 그놈 여기 있다며?
이연 (달래듯) 그럴 만한 사정이 좀 있어.
이랑 사정은 무슨 얼어 죽을! 그 자식 때문에 다 죽을 뻔했어!
이연 (붙잡고) 내가 해결할게.
이랑 절대 살려서 보내지 마. 그럼 나 가만 안 있어! (노기 좀 가라앉았다. 옆에 걸터앉아서) 근데, 그건 누구였을까.
이연 뭐가?
이랑 야차들 한 번에 쓸어버린 놈.
이연 용병단에 한 놈이 더 있었어. 아마 그놈일 거야. 시니가미 용병단 대장.
이랑 (기억 더듬으며) 대체 누구지?? 손님들 틈에 섞여 있었나? (갸웃하다 말고) 야! 너 피!!

이연의 붕대 위로 피가 '툭툭' 쏟아진다.

이연 상처가 덧났나?

이랑이 얼른 일어나 툇마루에 놓여 있던 수건으로 상처를 막아 준다.
그런데! 뭔가를 보고 우뚝 멈춰 서는 이연!

이연 …랑아.
이랑 (무심히) 응??
이연 너… 왜 '그림자'가 없니?

보면, 이랑 발밑으로 그림자가 보이지 않는다!

이랑 무슨 소리야?
이연 햇빛이 이렇게 쨍한데… 어째서.

뭔가 깨달은 듯, 곧장 홍주 방으로 내달리는 이연!!

#11 묘연각 / 홍주의 방 (낮)
이연이 '벌컥' 방으로 들어선다.

이연 애들아!

홍주　　깜짝이야! 왜?

이연　　니들 혹시 기억나니? 우리 어떻게 묘연각으로 왔는지.

무영　　(한심한 듯) 뜬금없이 무슨 소리야?

이연　　말해 봐!

홍주　　밤새 싸우다 404호로 돌아와서… (하다가, 멈칫) 어라? 어떻게 왔지? 운전한 기억이 없는데.

이연　　전차도, 인력거도 아냐! (머리 싸매고) 왜 기억이 안 나지?

무영　　(뭔가 소리를 들었다) 잠깐만! 조용히 해 봐!

무영이 귀를 기울인다. 이윽고 셋의 귀에 '희미한 음악 소리' 들린다.

무영　　들리지?

홍주　　(표정 확 굳어서) 이 음악 소리….

이연과 홍주, 굳은 얼굴로 소리가 나는 곳을 찾기 시작한다. 방 구석진 곳에 '구식 라디오' 놓여 있다. 호텔 404호에 있던 것과 같은 물건.

홍주　　(머리를 한 대 맞은 듯한 기분이다) 이게… 왜 내 방에 있지?

이연　　…묘연각이 아니야.

홍주　　응?

이연　　우리는… 아직 '호텔 404호'에 있어!!!

음악 소리 커지면서 구식 라디오 클로즈업된다.

#12 반도 호텔 / 404호 (밤)

라디오에서 화면 넓어지면! 셋을 둘러싼 배경, 다시 호텔 404호로 바뀐다!
엉망으로 부상당한 모습 그대로다! 셋 다 소스라치는데!
누군가! 거울 앞에 걸터앉아 입을 가린 채 웃고 있다!

홍주 누구야 너?!
이연 (놈이 고개 들면, 그 얼굴 알아보고) 최면술협회!!
사토리 (싱긋) 내가 시니가미 용병단의 대장, 사토리다.

#13 오복 양품점 (밤)

우렁각시가 폭탄을 앞에 두고 생각에 잠겨 있다.

인서트 플래시백

10화 은호와의 대화, 여기서 이어진다.

은호 저한테 생각이 있어요. 제 결혼식엔 총독부 주요 인사들은 물론, 조선의 내로라하는 친일파들이 전부 참석할 거예요.
우렁각시 (!!) 너 설마 결혼식을?!
은호 (끄덕) 놈들을 한 자리에 모아서 '펑!' 날려 버리는 거죠.

긴장한 얼굴로 폭탄 상자에 천 씌우고 돌아서는데, 누군가 가게 문 두드린다.
뜻밖에도 '경무국장'이다! 손가락으로 문 '톡톡' 두드리며, '열어라' 눈짓!
우렁각시 얼어붙는다! 국장이 가볍게 문고리 부수고, 밀고 들어온다! 뒷걸음질 치며, 재봉 가위 손에 쥐는 우렁각시! 그런데!

국장 (젠틀하게 둘러보며) 여기가 맞춤복으로 경성 제일이라며?
우렁각시 여…영업 끝났는데요.
국장 나 누군지 알지? (대답 못하는 우렁각시에게) 내 신부가 단골이라던데. 타와라 긴코.
우렁각시 (그제야) 아… 말씀 많이 들었습니다.
국장 결혼식이 이번 주 일요일이잖아. 예복 맞추려고.
우렁각시 영광이에요.

재봉 가위 슬쩍 놓고, 얼른 줄자를 든다. 떨리는 손으로 치수를 재기 시작.
국장 발치에 위태롭게 놓인 폭탄 상자 보인다.

국장 매력적인 여자지? 긴코.
우렁각시 어디가… 그렇게 마음에 드세요?
국장 밟아도 밟아도 타오르는 게 딱 조선 계집이잖아. 밟는 입장에서는 또 그게 그렇게 짜릿하거든. (낄낄 웃는) 난 그래서 조선이 좋아.

우렁각시 (분노로 이를 악무는데)

국장 좀 웃어. (협박하듯) 웃으라고.

우렁각시 (울듯이 웃어 보이면)

국장 '광복 의용대 경성 제4지부' (사이) 맞지? 만주로 가는 군자금 대부분이 너를 통해 움직이고.

우렁각시 ('쿵!!!' 당황해서 줄자 떨어트린다)

국장 뭘 그렇게 놀라? 오늘부로 1, 2, 3지부는 없어졌어. 조직원은 전원 사살. (줄자 주워 주며) 근데, 왜 여긴 남겨 뒀을까?

우렁각시 (죽음을 각오한 듯, 눈 질끈) 죽일 테면 죽여.

국장 그건 재미없잖아. 내 신부한테 전해. '감히' 희망 같은 거 품지 말라고. 나는 뭐든지 알고 있다고. (툭 치고 나가는) 예복 잘 부탁한다. '우렁각시'야.

국장 나가기 무섭게, 다리에 힘 풀려 주저앉는 우렁각시다.

#14 반도 호텔 / 404호 (밤)

마침내 용병단 대장을 마주한 산신들! 사토리가 거울에서 내려서며!

사토리 이제부터 니들은 이 방에서 한 발짝도 못 나가. 죽을 때까지.

방문 열린다! 유키와 오오가마가 문 앞을 가로막고 서 있다!

이연 (사토리 마주 보고, 서늘하게) 해 봐.

사토리 그전에, 네 보물 나 줄래?

이연 (피식) 제정신이냐?

사토리 (손가락 장난스레 접으며) 이찌. 니. 산.

그런데! 사토리의 카운트가 끝나기 무섭게, 냅다 보물 갖다 바치는 이연!

무영 너 미쳤어?!

홍주 연아!!

이연 (들리지도 않는 표정인데!)

사토리 놀랄 것 없어. 이놈은 처음부터 내 환술에 걸려 있었거든.

인서트 플래시백

9화에서 이연이 사토리를 처음 만난 장면이다! 바닥에 떨어진 책 주워 주던 순간!
몸을 굽히는 이연 움직임에 맞춰 '이찌. 니. 산' 속삭이듯 숫자 카운트하면! 이연의 눈동자, 찰나에 뿌옇게 멀어졌다 돌아온다!

다시 현재의 호텔 방.
넋 나간 듯 서 있는 이연! 홍주와 무영이 다친 몸을 일으켜 무기를 든다!

사토리 (여유 있는 태도로) 뭐 그리 급해?

이연의 눈앞에서 손가락을 '딱' 울리면, 이연, 제정신으로 돌아온다!

이연 (사토리에게 넘긴 보물을 보고, 경악해서) 내가… 뭘 한 거지?

사토리 넌 특별히 보여 줄 게 있어서 깨웠어. (홍주와 무영에게) 난 있지. 니들이 스스로 목을 조르면 좋겠다.

그러자 둘의 눈에서도 초점 사라지더니! 홍주가 자신의 손으로! 무영은 수건 집어 들고 스스로 목을 조른다!
'하지 마!!' 이연이 둘을 말려 보지만, 꿈쩍도 안 하는 두 사람이고!

사토리 소용없어. 걔들도 벌써 내 환술에 걸렸거든.

인서트 플래시백
'초대합니다' 홍주 방을 찾아온 사토리! 홍주가 '꺼져!'
'이찌. 니. 산' 속삭이는 소리에 맞춰 문 '쾅' 닫힌다! 닫힌 문 앞에서 싱긋!
무영이 호텔 나서며, 담배를 든 사토리와 부딪친 장면 스쳐간다!

'홍주야!! 천무영!' 이연이 힘으로 번갈아 두 사람 손을 떼어 낸다! 하지만 아랑곳 않고 다시 목을 조르는 두 사람!

사토리 (다가와 놀리듯) 기분이 어때?

빈틈을 노려 검을 휘두른다! 사토리가 가볍게 피하고 이연 걷어차 버린다!
무참히 나뒹구는 이연에게!

사토리 형편없네. 이런 실력으로 어떻게 내 용병단을 둘이나 죽인 거야?

홍주와 무영, 파랗게 질려서 쓰러진다! 쓰러진 채로 계속 목을 조른다!

이연 그만. 보물이고 뭐고 다 줬으니까 (미쳐 버릴 것 같은 심정으로) 제발… 그만 좀 해라.

사토리 좋다. 조선의 산신이 애원하는 모습. 근데 어쩌니? 내 전장에 선 단 한 놈도 살려 보낸 적 없는 걸?

이연 그만.

이연이 무릎을 꿇고, 양손을 반쯤 들어 올린다! 마치 항복을 고하듯!

사토리 (비웃으며) 항복하는 거야?

이연 (기어 들어가는 목소리로) 아니. 만세.

사토리 뭐라는 거야?

이연 (표정 싹 바뀌며) 만세라고. (유키와 오오가마를 흘긋) 만세.

사토리 미친놈.

순간! 뒤에서 오오가마가 사토리의 몸을 '꽉' 제압한다!
곧바로 유키! 한 손으로 그 얼굴 덮듯이 움켜쥐고!

유키 얼어 버려.

사토리 니들! 지금 뭐하는 짓이…!! ('야' 하는데, 입술이 안 움직인다!)

이연이 주먹으로 사토리를 힘껏 가격한다!
'컥!!' 사토리 신음하면서 홍주와 무영의 정신 돌아온다! 기침 토해 내는 두 사람!
당황한 표정 역력한 사토리에게!

이연 너랑은 좀 다르지만, 구미호도 비슷한 재주가 있거든.

인서트 플래시백 11화 1씬
뉴도(이연)가 유키, 오오가마에게 뒷모습으로 뭔가 쑥덕이던 장면에 이어!

뉴도(이연) 이제부터 니들은 말이야. (눈동자 변해서) 내가 '만세 삼창'을 외치면 눈앞에 그놈이 적이야. 묻지도 따지지도 말고 해치워.

유키, 오오가마 (눈빛 아득해진다!!)

이연이 둘에게 암시를 걸어 놨다!
얼어붙은 사토리를 '퍽!!' 검으로 찌르고, 보물 뺏어 드는 이연!
찰나! 정신을 차린 무영의 시선, 보물을 향한다!

이연 (사토리 빰을 툭툭) 다시는 조선의 산신을 무시하지 마라. 꼬맹아.
옥상으로 들고 가서 던져 버려.

오오가마가 사토리를 번쩍 들고 나간다! 유키가 그 뒤를 따른다!

#15 반도 호텔 / 2층 복도 (밤)
이연이 멀어지는 그 모습 지켜보며.

이연 아, 이왕이면 니들도 같이 뛰어내려.
유키, 오오가마 (표정 없이) 네….

용병단, 시야에서 사라졌다.
그런데 보물 손에 들고 돌아서자마자! 무영이 보물을 '확' 낚아챈다!
이연이 놓치지 않으려고 힘을 준다!
힘과 힘이 부딪치면서 자루 반으로 찢어진다!
'천무영!!!' 무영의 뒤를 쫓지만, 무영은 그새 사라지고 없다!
이연의 상처에서 피가 '뚝뚝' 떨어진다. 벽을 짚고 신음한다.

자루 확인해 보면 '수호석'만 남았다. 이를 갈며 주저앉는 이연 얼굴에서.

자막 D-2일 (자정이 넘어서 D-2일로 표기)

#16 선우은호의 집 / 거실 (낮)

날이 밝았다. 은호가 외출 채비하고 내려오는데, 집안 분위기 뒤숭숭하다.

엄마 반도 호텔에서 사람이 죽었다고요?!

아빠 (노한 얼굴로) 감히 어떤 놈이 '내 호텔'에서!!

엄마 긴코 결혼식은요? 여보. 사람 죽어 나간 데서 어떻게 식을 올려요?

은호(E) 전 괜찮아요.

엄마 (돌아보고) 호텔에서 사고가 있었대.

은호 그럴수록 보여 줘야죠. 반도 호텔은 건재하다. 우리 타와라 가문은 흔들리지 않는다.

아빠 그럼! 기자들 막고, 시체는 치우면 그만이야! (만족스레 은호 뺨을 툭) 이제야 내 자식 놈 같네.

은호 (속내를 감춘 얼굴로 아빠를 마주 본다)

#17 몽타주 (낮)

재유가 의식 없는 홍주를 안고 뛰어 들어온다. 재유의 얼굴 사색이 돼 있다.
매난국죽 동동거리며 홍주와 자신들 짐을 나른다.
신주가 이연을 업고 방으로 향한다.
그 뒤로, 부두목이 이랑을 부축해서 걸어 들어온다.

#18 극장 / 앞 (낮)

탈의파, 현의옹 부부가 영화를 보고 나오는 길. 탈의파가 예리하게 주위 살핀다.

현의옹 (멋쩍게) 영화 별로였지?
탈의파 (시선은 계속 주변에) 응.
현의옹 그래도 밖에서 이렇게 데이트 하는 게 얼마만이야. 한 300년 됐나.
탈의파 (저만치 멀어지는 오도전륜대왕 찾았다) 여보. 나 저번에 먹었던 빙수인가 그것 좀 사다 줄래?
현의옹 빙수? 조금만 기다려요.

남편이 자리를 뜨면, 곧바로 오도전륜대왕 뒤를 쫓는 탈의파.

#19 골목 (낮)

탈의파가 대왕을 골목에 몰아넣고 마주 보고 있다. 대왕은 뻔뻔한 얼굴로 딴청.

탈의파	천무영이 뒤를 봐준 게, 대왕님이시죠?
대왕	뒤를 봐주다니! 그런 정치적인 발언 옳지 않아! 난 순수하게 장사한 거야! 장사!
탈의파	닥치세요.
대왕	이런 고얀 지고! 저승에도 엄연히 연공서열이 있는데!
탈의파	(가려고) 그럼 염라대왕한테 꼰질러야지.
대왕	(막으며) 어허! 나 진짜 순수하다고!
탈의파	(기가 막혀서) 뭐? 순수?
대왕	요즘 세상이 워낙 개차반이잖아. 죄 없는 망자들이 얼마나 들끓어? 이왕 이 모양인 거, 아싸리 한 번 뒤집혀도 나쁘지 않겠다.
탈의파	세상을 뒤집어? (굳는) 무영이가 '이 시대로 온 이유'가 대체 뭡니까.
대왕	(진지하게) 자네도 짚이는 게 있지 않나.
탈의파	(!!!) '그자'는 죽었어요. 내 눈으로, 똑똑히 봤습니다.

대왕이 '픽' 웃는다. 그 얼굴 마주 보는 탈의파의 눈빛, 불안하게 흔들린다.

#20 경성 거리 (낮)

보물 훔쳐서 나온 무영이 비틀거린다.

'형한테 가야 돼. 한시라도 빨리….' 중얼거리며, 힘겹게 걸음

옮기다 고꾸라진다.

그런 무영의 귀에 '무영아! 무영아 정신 차려라!' 하는 목소리.

'현의옹'이다.

#24 오복 양품점 (낮)

양품점 밀실. 무영이 의식 없이 누워 있다. 간단한 응급 처치는 마친 모양새.

우렁각시 (현의옹에게, 목소리 낮춰서) 누구?

현의옹 자식 같이 키운 아이야. 부탁 좀 함세.

우렁각시 몸이 성한 데가 없는 거 같아요. 이러다 송장 치르는 게 아닌지.

현의옹 이래봬도 백두산 호랑이 자손이라네. 틀림없이 일어날 거야.

잠시 후, 양품점에서 은호와 셋이 만났다. 은호는 밀실 안의 상황을 모른다.

은호 경무국장이 뭐래요?!

우렁각시 경고하러 온 거야. 자기는 모든 걸 다 알고 있다고.

은호 폭탄은?

우렁각시 들키진 않았는데, 난 불안하네요. 계획을 바꾸는 게 낫지 않겠니?

은호 아니. 기회는 이번뿐이에요. 밀어붙여야 돼.

우렁각시 조직은 와해됐어. 너 혼자선 무리야.

현의옹 (잠시 생각하고) 하나 있지 않나. 이 일에 딱 맞는 지원군.

#22 묘연각 / 형제의 방 (낮)

부상당한 이연이 혼곤한 잠에 빠져 있다. 신주가 곁에서 애지중지 이연을 돌보며.

신주 잘도 파란만장하네요. 한 달 남짓 시간 여행 속에서, 죽을 고빌 몇 번을 넘기시는지.

그때 문 앞에서 '실례합니다.' 하는 은호 목소리. 곧이어 두 사람 마주 앉아서.

신주 (경악해서) 결혼이요?! 그놈 정체가 뭔 줄 알고!
은호 알아. 사람이 아니란 것도.
신주 알면서 대체 왜!!
은호 내 결혼식장에 폭탄을 터뜨릴 거야.
신주 뭐? 그럼 은호 씨는?!!
은호 의용대 활동 처음 시작한 순간부터, 그 정도 각오는 돼 있어.
신주 하… '이렇게 생긴 여자들'은 뭐 인생이 모 아니면 도야? 은호 씨 목숨 갖다 바친다 쳐! 근데 그만한 요괴가, 폭탄에 죽을까?
은호 그래서 구신주, 네가 필요해.
신주 당연히 내가 도와야죠! 결혼식이 언젠데?
은호 이번 주 일요일. 오후 6시.

신주 뭔 놈의 결혼식을 밤에 한대요?

은호 총독이 경기도 시찰을 마치고, 결혼식에 참석할 거거든.

신주 잠깐. 일요일이면… (날짜 헤아려보고) 이틀 후? '월식'이 그날인데!

은호 월식이라니??

신주 왜 하필 그 날이래! 은호 씨 미안… 그날은 못 가요….

은호 (낙담하는데)

이연 (냉큼) 난 갈래.

어느새 이연이 눈 말똥말똥 뜨고 두 사람을 보고 있다.

신주 이연님!

이연 (누워서 종알종알) 가야지. 자고로 우리가 딴 건 몰라도 남의 경조사는 칼 같이 챙기는 민족 아니냐.

은호 (황당해서) 댁은 구신주 독립운동 하는 것도 반대했다며, 왜?

이연 네 예비신랑한테 갚을 빚이 좀 있거든. (호기롭게 일어나며) 그 결혼식 '세기의 장례식장'으로 만들어 주지.

#23 조선 총독부 (낮)

그 시각, 국장이 노기등등한 얼굴로 아키라에게.

국장 시니가미 용병단이 패했다고?! 구미호한테? (언성 높이는) 보물은!

아키라 (고개 숙이며) 놓쳤답니다.

국장 최고의 실력자를 다섯이나 보냈는데, 구미호의 목도, 보물도 놓쳤다? (냉정을 찾으려 애쓰는 모습으로, 뒷짐 지고 걸으며) 패인이 뭘까.

아키라 용병단이 방심한 탓이죠.

국장 그 따위로 생각하니 그 구미호한테 놀아나는 거야!

아키라 워낙 권모술수에 능한 잡니다.

국장 아니. 권모술수 따위가 아냐. 묘연각 사장을 내게 보내 용병단을 호텔로 유인할 때부터 놈은 그림을 그리고 있었어. '판을 흔들어 놓을' 그림.

아키라 적을 너무 과대평가하시는 겁니다.

국장 전쟁을 할 땐 말이다. 적을 존중할 줄 아는 놈이 이기는 거야. 난 이제 그놈이 두려워지려고 해. 자꾸 내 예상을 뒤집어 놓거든. 그럼 어떻게 해야 그놈을 잡고, 보물을 손에 넣을까. (서성이던 움직임 멈추고, 눈을 감는) 그자가 돼서 생각하는 거야. 내가 구미호라면 어떻게 반격할까.

광기 어린 국장의 모습. 아키라가 긴장해서 지켜보는데.

국장 (싸늘한 미소) 이쪽에서도 판을 흔들어 놓는 거지.

#24 묘연각 / 뜰 (낮)

이연이 앞치마 두르고, 다소곳한 포즈로 만두를 빚고 있다. 이랑도 함께다. 이랑의 뺨에 밀가루 묻어 있다.

이랑 (짜증) 야! 나 발 저려!

이연 (코에 침 홍건히 발라 주며) 참아.

이랑 (앞치마 벗어 던지며 버럭) 결혼식장을 습격하네 마네 하더니 만두는 왜 빚고 앉았는데?! (만두 들어 보이는) 이걸로 싸울 거야?

이연 (태연히 빚으며) 이틀 후면 나 여기 없다.

이랑 내 말이! 그 와중에 뭔 짓이냐고! 아직 몸도 엉망인 게!

이연 마지막까지 싸움질만 하다 가게 생겼는데, 오늘 하루는, 하나뿐인 동생이랑 만두 좀 빚으면 안 되냐?

이랑 (그 속을 알고) 쳇… 뭔 놈의 작별 인사를 만두로 한대?

이연 슬프잖아. 너무 거창하면. (사이) 내가 없어져도, 그냥 이렇게 만두나 빚다가 어디 캠핑 갔나 보다. 생각하라고.

담담히 말하는 이연도, 이랑도 속에서 뜨거운 것이 치밀어 오르는 기분이다.
이랑이 다시 '퍽퍽-' 만두를 빚기 시작한다.

이랑 (애써 모진 척) 난 너 없이도 잘만 살 거야. 한 달 동안 붙어 있어 보니까 엄청 질리는 타입이야. 너. 맨날 사고치고, 다치고, 나 속이고.

이연 (서글피) 나도 너 별로야. 맨날 편식하지, 형한테 개기지, 통금 시간 정해 줬는데 제 시간에 들어오는 꼴을 못 봤어.

이랑 잠버릇도 심해.

이연 편식쟁이.

이랑 약쟁이!

이연 (아프게 보며) 그래. 그렇게 하는 거야. 혹시라도 나 보고 싶으면 지금처럼 미운 것만 생각해. 나도 그럴 테니까.

이랑 (울컥하는데 꾹 참고, 끄덕)

이연 약속하자 우리. 마지막에 절대 울지 않기로. 웃으면서 배웅해 줘.

이랑 약속… 할게.

이연 (대견한 듯 동생을 툭툭 치고, 바구니 건네는) 만두 구워 와.

잠시 후, 이랑이 볼멘 얼굴로 '반쯤 태워 먹은 만두' 가져온다. 이연이 먹어 본다.

이랑 어때?

이연 (활짝 웃는) 태워도 맛있다.

#25 묘연각 / 수돗가 (낮)

이랑이 상반신 반쯤 벗고 수돗가에 기대어 있다. 이연이 바가지로 물 끼얹는다.

이랑 아 차거!!

이연 참아. 수컷은 냉수야!

이랑 넌 더운 물로 했잖아!

이랑이 바가지 뺏어 들고 냅다 물을 뿌린다.

'이게!!' 이연도 지지 않고 물 뿌려 댄다.
화면 넓어지면, 신주와 부두목이 나란히 하드 입에 물고 앉아서.

신주 천 살 넘게 먹고, 참 잘 논다. 우리 이연님.

부두목 나 우리 두목, 저렇게 웃는 거 처음 봐. (시선은 줄곧 형제에게) 낼 모레면 둘이 영영 못 보는 건가?

신주 (괜히 시큰해서) 응. 영영.

헤어질 시간이 머지않았다. 천진하게 물놀이를 하는 형제의 애달픈 모습에서.

#26 묘연각 / 형제의 방 (낮)

이연과 이랑, 방에서 젖은 옷과 머리를 말린다.

이랑 (이연의 팔에 '붉은 점' 가리키며) 이건 아직도 안 없어졌네?

이연 (살짝 문질러 보는) 그러게.

인서트 플래시백

5화 업신이 길 떠나기 전 '그대는 성정이 맑아서, 그로 인해 길을 잃을 겁니다. 이게 길을 찾는 데 도움이 되길 바라신답니다.'

이연 뭔지는 몰라도 업신이 준 선물인데, 좋은 거 아니겠어?

이랑 내 선물 내놔. 핸드폰. 한 달만 같이 있으면 그거 나 준다며.

이연 안 까먹었구나? (핸드폰 꺼내 든다. 이랑이 손 내밀면) 줄 순 있는데… 솔직히 말하면 이거 이 시대에 못 써. 배터리도, 기지국도 없어서.

이랑 또 사기 쳤냐?!

이연 (잽싸게 선물 상자 보여 주며) 대신 이런 걸 준비했어.

이랑 (선물 열어 보면, 두 자루의 '금도끼'다) 금도끼?

이연 싸울 때 이거 딱 꺼내 봐. 막 부내 나고, 트렌드세터 같고 난리 나지.

이랑 (부글부글) 금이 얼마나 약한데.

이연 (냉큼) 도금이야.

이랑이 기가 막혀 '픽' 웃는다. 이연이 팔을 괴고 편히 드러눕는다. 이랑도 누워.

이랑 (이연을 보며) 한 달 전만해도, 만나면 죽여야지 생각했는데….

이연 (담담히 천장을 보고 누워) 살다 보면 많은 게 뒤통수를 치거든? 열심히 쿠폰 모은 중국집이, 하루아침에 이름을 바꾸기도 하고. 무슨 질병이든 다 보장해 줄 거 같던 실비보험이, 배 째라 나오고. 친구가 준 주식 정보는 꼭 폭망이야.

이랑 뭐라는 거야?

이연 온 세상이 뒤통수를 쳐도, 연인이든 가족이든 제대로 된 한 놈만 옆에 있으면 사람은 안 쓰러지더라. 잘 살란 소리야. (다정히)

내가 없어도 씩씩하게. 너의 인어 공주랑.

이랑 (퉁명스레) 몰라! 나 잘 거야!!

차오르는 눈물 감추려, 얼굴에 이불 '확' 뒤집어쓴다.
그런 동생을 다정하고 또 애틋한 눈길로 바라보는 이연. 그의 눈시울도 붉어져 있다.

#27 묘연각 / 홍주의 방 (밤 → 낮)

잠든 홍주 얼굴에 열이 오른다. 재유가 이마 짚어 보고, 얼른 물수건 올려 준다.
홍주가 앓는 신음을 한다. 그 손 꼭 잡고 '괜찮아요. 괜찮아지실 거예요.' 가만히 다독거리면 이내 홍주의 얼굴 편안해진다. 그렇게 밤새 곁을 지키는 재유.
다음 날 아침. 홍주가 침대에 누워 팔을 굽혔다 폈다 해 본다.

재유 (새 물수건 가지고 들어오며) 언제 일어나셨어요?!

홍주 (씩 웃는) 방금.

재유 웃음이 나오세요? 사장님 죽다 살아나셨어요!!

홍주 죽다 살아난 보람이 없다. 나 보물 뺏겼어.

재유 지금 보물이 문젭니까?! 그게 뭐라고 몸이 이 지경이 되도록!! 하….

홍주 와. 너 방금 처음으로 나한테 개겼다?

재유 (울먹) 저 진짜 심장 떨어질 뻔했다고요!

홍주 나 쉽게 안 죽어. 네가 이렇게 발목을 잡는데 어떻게 죽니?

재유 (훌쩍이며) 약속하세요. 다시는 안 다친다고! 차라리 제가 다칠게! 저는 죽어도 괜찮으니까….

홍주 죽긴 왜 죽어. 인마. 넌 '내 건'데.

다정히 머리 쓰다듬으면, 밀려오는 안도감에 아이처럼 '엉엉' 우는 재유다.

홍주 울지 마. (계속 울자) 야, 연이 가면 애들 데리고 온천 가자.

재유 (울다 말고 번쩍 고개를 드는) 어느 온천이요?

홍주 당연히 온양이지. 네 고향.

재유 (눈물 닦고, 그제야 웃는다) 언제는 막 이연님 따라간다면서.

홍주 (코 닦아 주는) 안 가. 내 집은 여기야. 내 식구들이 있는 곳.

재유 (뭉클해서 그 말 되뇐다) 식구….

#28 묘연각 / 뜰 (낮)

매화가 뒤뜰에서 양손에 부채 들고, 약을 달이고 있다.
죽향을 앞세워 난초와 국희가 다가온다. 모른 척 하던 일만 계속하는 매화.

죽향 매화 언니. 언니들이 할 말 있대요.

국희 (머뭇거리며 난초를 툭) 너부터 해.

난초 (꼬집는) 네가 먼저 해.

국희 그러니까 호텔에서 그 아가씨 죽이려고 하고… 언니 막 밀치고… 미안.

난초 그리고 고마워. 이랑님한테 일러바치지도 않구.

죽향 (대답 없는 매화에게) 언니들도 너무 무서워서 그랬대요.

매화 세상 호락호락하지 않지? 사람 아닌 우리 사장님 밑에서, 별의별 걸 다 보고. 근데, 난 니들 손에 적어도 '피'는 안 묻히고 싶어. 한 번이 어렵지, 두 번부턴 쉬워지거든. 내 오라버니가 그랬어.

국희 (울듯이 웃으며) 사장님 약이지? 줘. 우리가 할게.

부채 하나씩 빼어 들고, 정성껏 약을 달이는 난초와 국희.

#29 오복 양품점 (낮)

겨우 몸을 회복한 무영, 품 안의 '금척' 확인하고 양품점 나서는 참이다.

무영 (우렁각시에게 가볍게 인사하며) 신세 많았소.

우렁각시 사연이 한 보따리 같은데, 묻진 않을게요. 대신 뭐 하나 팔아줄래요? (애정 어린 눈길로, 새삼 가게 둘러보며) 가게, 곧 폐업할 거거든요.

무영 장사 잘 되는 것 같은데 왜….

우렁각시 (애써 미소로) 그런 시대잖아요.

무영 (이해했다. '녹색 구두' 골라서) 혹시 배달도 돼요?

#30 묘연각 / 뜰 (낮)

우렁각시가 홍주에게 무영의 선물 전해 준다.

홍주 예쁜 구두네? 누가 보낸 거지?

우렁각시 이름은 안 밝히고, 이 말만 전해 달라 하셨어요. '구두가 비싸고 예쁜데, 발가락 아작 나기 딱 좋게 생겼다. 내 평생 걸어온 길은 전부….'

인서트

구두 소중히 들고, 담담하게 진심을 전하는 무영의 모습.

'내 평생 걸어온 길은, 전부 너에게 가는 길이었다고. 가끔, 내 불행이 너한테 옮을까 봐 달아나기도 했는데, 그리 멀리 가진 못했다고. 그러니 홍주야. (농담처럼) 이 구두 신고, 굳은살 박일 때쯤 내 생각도 좀 해 주라.'

홍주가 미소 짓는다. 말 안 해도 누군지 안다는 듯이. 구두를 신어 본다.

우렁각시 발에 꼭 맞네요?

홍주 어디로 간다. 그런 말은 없었소?

우렁각시 없었어요.

홍주 괜찮아. (무영의 말 되뇌듯) 나한테서, 그리 멀리 가진 못할 테니까.

#31 묘연각 / 모처 (낮)

이연이 야무지게 밥을 먹고 있다. 홍주가 신발 자랑스레 내보이며.

홍주 무영이가 사 준 거다? 예쁘지?

이연 (무심한 투로) 응. 무등산 수박 같아.

홍주 싸울래?

이연 나 내일 떠나.

홍주 (낮빛 살짝 어두워지는) 월식 놓치면? 영영 못 가는 거지? 달을 그냥 확 뽀개 버릴까 보다.

이연 하늘이 두 쪽 나도 갈 거야. 가야 돼.

홍주 (마주 앉아서) 근데 생각보다 태연하다? 무영이한테 금척 털리고.

이연 네가 그 정도 드러누웠으면, 걔 지금 최소 폐인이야.

홍주 하긴. 수호석만 있으면 집에 갈 수 있지?

이연 가기 전에 총독부 대가리 잡을 거야.

홍주 (!!) 경무국장?

이연 같이 하자.

홍주 (정색하고) 이 시절을 온전히 산 건 나뿐이야. 넌 약에 취해 있었고, 무영인 돌이 돼 있었잖아. 내가, 안 싸워 봤을 거 같니?

이연 (진지해져서) 싸웠겠지. 혼자서도 죽도록.

홍주 아무리 발버둥 쳐도, 왜놈들은 동물이고 사람이고 가리지 않고 사냥해 대고, 조선의 산천엔 피가 강이 돼 흘러. 변한 건 아무것도 없었어.

이연 (수저 내려놓고) 홍주야 난 미래를 알고 있어. 조선이 어떻게 되는지.

홍주 궁금해 죽겠는데 말해 주지 마. 난 반칙을 싫어하니까.

이연 (홍주답다. 미소) 내가 뭘 어떻게 해도 미래는 바뀌지 않겠지. 그래도 지금 이 자리에서, 난 내가 할 수 있는 일을 할 거야. '조선의 마지막 산신'으로서.

홍주 같이 흔들리고 싶은데, 넌 떠나고 남는 건 나야. 난 빼 줘.

같은 마음이지만 다른 길을 택한 두 사람.
복잡한 마음으로 서로를 마주 보는 그들 모습에서.

자막 D-1일

#32 클럽 파라다이스 (낮)

여희가 혼자 바닥 청소 중이다. 약지에 이랑이 준 반지 끼고 있다.
클럽에 부유해 뵈는 중년 남자 하나 나타난다.

여희 아직 영업 시간 아닌데요.

중년 남 여기서 노래하는 아가씨 맞지? (명함 주며) 나 이런 사람인데.

명함 인서트

플라워 레코-드 崔湢植 社長 (최벽식 사장)
京城府 鍾路 一丁目 三九 (경성부 종로 1정목 39)

여희	(놀라서) 그 유명한 플라워 레코드?!!
중년 남	신인 가수를 찾고 있어. 소문이 자자하던데? (앉는) 한 곡 불러 봐.
여희	지금요? (텅 빈 피아노 돌아보며, 당황스레) 반주도 없는데….
중년 남	곤란한가?
여희	아니요. 할 수 있습니다. 할 수 있어요!

긴장한 여희가 손을 모으고, 반지 만지작댄다. 그 손 가늘게 떨린다.
노래 시작한다. 이랑과 피아노를 치며 연습하던 곡.
하지만 무반주에 갑작스러운 오디션, 평소 실력의 반도 안 나온다.
레코드사 사장, 더 들어볼 것도 없다는 듯 인상을 찌푸리고 담배 꼬나 문다. 거푸 라이터 불을 켜려는 사장을 보며, 여희 얼굴 점점 울상이 된다.
그때, 뒤에서 들리는 피아노 반주 소리?!
건반 위 하얀 손가락에 여희와 '같은 반지' 보인다. '이랑'이다.
여희를 안심시키는 부드러운 선율. 여희 목소리에 다시 힘이 실린다.
아름다운 피아노 반주와 노랫소리가 한데 클럽을 채운다.
레코드사 사장, 담배에 불붙이는 것도 잊고 넋을 놓는다.
시간 경과되면, 사장은 가고 이랑과 여희 둘만 남아서.

이랑	축하해.
여희	계약이라니. 게다가 플라워 레코드라니… 랑아. 이거 꿈 아니

지?!

이랑 해낼 줄 알았어.

양팔을 벌리는 이랑. 한달음에 그 품에 뛰어들면, 여희를 '번쩍' 안아 든다.
행복한 비명을 지르는 여희. 이랑의 얼굴도 그 어느 때보다 환하다.

#33 묘연각 / 뜰 (낮)

냄비를 들고 외출하던 재유, 뭔가를 보고 인상을 찌푸린다.
신주와 부두목이 다과상 옆에 놓고 다정히 붙어 앉아 있다.
신주가 눈썹 다듬어 주는 중.

부두목 (거울을 보며 만족스레) 어머, 이 미남은 누구??
신주 기억해. 남자는 첫째가 헤어. 둘째가 패션. 셋째가 눈썹이야.
부두목 미래에서 와서 그런가, 넌 애가 참 세련됐다. (섭섭한 마음에) 너 가면 눈썹은 누가 깎아 주냐?
신주 그쪽 세상에서 내가 꼭 미연이 너를 찾을게. 우리 친구잖아.

둘이 손깍지까지 끼고 육갑을 하는데. 못 본 척 빠른 걸음으로 지나가는 재유.

부두목 진돗개 씨!! 어디가요?

재유 사장님 드실 설렁탕 사러 갑니다.

신주 (끌고 와서) 식혜 한 잔 해요. (재유가 마지못해 마시면) 사장님 좋아하죠?

재유 (식혜 뿜어낸다)

신주 (등 두드려 주며 부두목에게) 내 말 맞지?

부두목 (히죽) 아침에 사장님 방에서 아주 대성통곡을 하더라니.

재유 (얼굴 빨개져서) 자… 잘못 들으신 거예요.

#34 묘지 (밤)

무영이 '형의 얼굴' 곁에 털썩 주저앉는다.

형 보물은?

무영 그거부터 묻는 거야? 섭섭하게.

형 (눈을 굴려서 보더니, 걱정스레) 많이 다쳤니?

무영 (미소) 별 거 아냐. 근데… (금척 보여 주며) 이거 밖에 못 찾았어. 몸이 낫는 대로 이연이 가진 수호석도 가져올게.

형 언제 간댔지, 이연?

무영 (날짜 헤아려 보고) 내일.

형 (!!) 시간이 없어! 지금 하자!

무영 (불안하다) 될까? 금척 하나만 가지고? 이러다 실패하면?

형 네 탓이 아냐. 내 운명이지.

무영 (각오한 듯) 하나만 얘기해 줘. 되살아나면 형은 뭐 하고 싶어?

형 무영이 넌? 뭘 위해 여기까지 왔니?

무영 　내 꿈은 말이야. 형이랑 '보통 사람같이' 살아 보는 거. 보통의 집에서, 보통의 차를 굴리고, 낼 점심엔 뭐 먹을까 메뉴도 고민하고, 주말이면 우리 둘이 목욕탕에 가는 거야. 보통의 가족처럼.

말갛게 웃어 보이더니 자리에서 일어나는 무영.

무영 　그러니까 형. (손에 든 '금척' 바라보며) 꼭 돌아와 줘. 나한테.

#35 　내세 출입국 관리 사무소 (밤)

이연이 탈의파를 독대하고 있다. 테이블 위에 수호석 놓여 있다.

탈의파 　(근심 어린 얼굴로) 금척을 뺏겼단 말이지.

이연 　솔직히 말해 봐. 이게 다 뭔지. 이쯤 되니까 우연 아닌 거 같아. 내가 수호석 찾아서 이 시대로 온 것도. 금척이 내 손에 들어온 것도 전부.

탈의파가 일어나 두루마리 하나 꺼낸다. 이연이 펼쳐 보면 '얼굴 없는 산신' 그림.

이연 　얼굴이 없잖아. 뭔데?

탈의파 　애초에, 산신은 넷이 아니라 하나였다.

이연 (!!) … 최초의 산신!

탈의파 (끄덕)

이연 그놈이 맛이 가는 바람에, 이 땅에 요괴들이 태어났다며. (그림 가리키며) 염라대왕 손에 죽었다던데?

탈의파 그자가 죽고, 대왕께서 그 힘을 4개의 보옥에 나눠 담아 서로 다른 시간대에 봉인했다. 수호석과 금척이 그 일부고.

이연 (!!) 그래서 수호석은 내가 온 미래에, 금척은 여기 있었구나?

탈의파 그것은 '같은 시대'에 존재해선 안 돼. 자석같이 서로를 끌어 당기거든. 처음처럼 '하나'가 되기 위해.

이연 내가 수호석을 갖고, 미래로 돌아가면 되는 거잖아. 뭐가 걱정이야?

탈의파 천무영이 가져간 금척. 무영인 그걸 가지고 뭔가를 깨우려고 해.

이연 나도 알아. 지네 형이야.

탈의파 (말없이 보면)

이연 형이… 아니구나?! 형이 아니면 누구야? (벌떡 일어나서) 설마!!

#36 묘지 (밤)

까마귀 울음소리 불길하게 들린다.

형의 얼굴 주위로, 하얀 가루로 그린 몇 겹의 동심원 에워싸져 있다.

원마다 하나씩 부적. 그 중심에 형의 얼굴 놓여 있다.

무영이 자신의 손가락을 살짝 깨물고, 붓에 피를 바른다.

눈 감은 형의 이마에 '돌아갈 귀(歸)' 글자를 쓴다.

그 얼굴 위로 새하얀 국화 덮인다. 이내 형의 얼굴 가려져 보이지 않고.
몸통이 있어야 할 곳에 '목 없는 허수아비' 눕힌다. 그 속에 금척을 집어넣는다.
동심원 밖으로 빠져나온 무영의 손에, 횃불 들려 있다.
허수아비에 막 불을 붙이는 무영의 모습에서.

#37 거리 (밤)

이연이 미친 듯이 뛰고 있다!
'안 돼! 무영아! 그걸 깨우면!!' 정신없이 중얼거리며!

#38 내세 출입국 관리 사무소 (밤)

탈의파가 창밖을 보며, 생각에 잠겨 있다.

인서트 플래시백

앞 씬의 이연과의 대화, 여기서 이어진다.

이연 그럼 막아야지! 왜 보고만 있어!
탈의파 지금 그자는 '텅 빈 그릇'에 불과하니까. 방법이 그뿐이야. 그자를 잡기 위해선 그자를 깨워야 돼.
이연 뭔 일을 그렇게 위험하게 해!
탈의파 그게 이 시대를 지키는 게 내 의무니까.

이연 그럼 무영인? 걔는 누가 지켜?

탈의파 (말문이 턱 막힌다)

이연 가끔 까먹는 모양인데 할멈. 우리는 할멈의 장기 말이 아니야. 다치면 아프고! 부모 같은 할망구한테 버려지면 상처받고! 할멈이 돌로 만든 그 자식은! (감정 꾹 삼키며) 살고 싶어 한다고! 시간을 구걸해서라도 '살고' 싶어 해!

다시 현재. 고통스럽게 얼굴을 감싸 쥐는 탈의파다.

#39 경성 거리 (밤)

이랑과 여희, 다정히 손 붙잡고 걷고 있다. 이내 계단에 나란히 앉아서.

여희 (종이학이 든 병을 건네며) 선물이야.

이랑 (한 마리 꺼내서 손바닥에 올려놓고, 방긋) 종이학이네?

여희 100마리 전부 네 생각하면서 접었어. (수줍게) 그러면 사랑이 이루어진대. 영원히.

이랑 (손바닥 위 종이학 소중히 감싸며) 날아가 버리면 어떡하지?

여희 (머리 맞대고 웃는)

이랑 (괜히 미안해져) 난 맨날 받기만 하네. 너한테도 이연한테도.

그런데 어딘가에서 그들을 보는 시선. 이랑이 문득 시선 느끼고 돌아본다.

'누군가' 장옷을 머리에 쓰고 황급히 모습 감춘다.

#40 냉면 가게 (밤)

재유가 설렁탕 포장하러 왔다.

재유 (사장에게 냄비 건네며) 설렁탕 한 그릇 싸 주세요.

부두목 (뻔뻔하게 앉는) 여기도 한 그릇씩 주쇼. 계산은 같이 하고.

신주 (옆에 앉으며, 냉면 가게 사장에게) 사장님 오랜만.

재유 저 따라온 거예요?

신주, 부두목 (똑같이 끄덕)

재유 (앞에 앉아서) 근데 계산은 왜 제가 합니까?

신주 (불쌍한 척) 나 돈 없어요. 이 집 배달 알바하다 잘렸잖아.

부두목 나도 없어. 두목이 강도, 방화, 소매치기까지 금지시켜 갖고.

설렁탕, 깍두기 나왔다. 맛있게 밥 말아 먹는 둘을 보다 보니 재유도 침이 넘어간다.

신주 재유 씨도 한 그릇 하지?

재유 (침 닦고) 우리 사장님 드릴 거라서 안 돼요. 따뜻하게 드셔야 돼. (냄비 건네받고 곧장 나가면)

부두목 (히죽) 아주 열녀 났네.

#41 묘지 (밤)

허수아비와 국화를 태우던 불길 꺼졌다. 무영이 다가가 잔해를 헤쳐 본다.
그런데, 형의 얼굴이 있던 자리, 텅 비어 있다.
'안 돼….' 맨손으로 정신없이 땅을 파헤치지만, 검은 재만 나뒹굴 뿐.

무영 약속했잖아. 돌아온다고… (재를 손에 꾹 쥐고) 나랑 약속해 놓고 왜!!! 왜 나만 남겨 놓고 가 버린 거야! 내 옆엔 아무도 없는데… (눈물을 툭) 난 이제 형밖에 안 남았는데….

그 순간, 뒤에서 '바스락' 하는 소리! 돌아본 무영의 눈이 놀라움으로 커진다!
형이 거짓말처럼 무영을 바라보고 서 있다! 다정한 미소를 띠고!
믿을 수 없는 듯 일어서서 형을 마주 보다가! 한달음에 달려가서 안기는 무영!

무영 형!!! 해냈구나! 해냈어, 우리가!!
형 네가 해낸 거야.
무영 (정신없이) 고마워. 살아 줘서! 고마워. 나한테 돌아와 줘서!

#42 묘지 / 인근 (밤)

이연이 무영을 향해 달려가고 있다! 조금만 더 가면 묘지다!

이연(E) (애타게) 죽지 마라. 천무영! 아직은 안 돼….

#43 묘지 (밤)

형을 안고 벅찬 무영의 얼굴!
그 너머 무영 등을 두드리는 '형의 손' 클로즈업된다!
시커먼 손톱이 기괴해 보인다! 어느새 형의 표정 섬뜩하게 변해 있는데!

무영 (문득 옥죄는 느낌에) 형… 나 숨 막혀.
형 (꽉 끌어안고, 담담히) 네 형이 아니야.
무영 응??
형 그동안 수고 많았다. 북쪽 산신. (무영을 마주 본다. 검지의 손톱으로 무영의 이마 툭 누르며) 네 역할은 여기까지야.

#44 묘연각 / 홍주의 방 (밤)

홍주가 화병을 옮기다 손을 놓친다! 요란한 소리를 내며 깨지는 화병!
사방으로 꽃 흩어진다! '무영이 준 구두', 물에 얼룩졌다. 불길한 예감처럼!

구미호뎐 1938 제11화 덮

#45 묘지 (밤)

마치 섬광이라도 맞은 듯 뒤로 넘어가는 무영!
움직이려 애써 보지만, 손끝만 겨우 꿈틀거릴 뿐이다!

형 몸에 힘이 안 들어가지? (싱긋) 심장이 멈췄거든.

무영(N) (충격으로) 나는… 대체 뭘 깨워 버린 걸까.

형 사람들은 나를 '최초의 산신'이라 불렀지. 네 형이 미쳐 날뛰게 된 것도 나 때문이요, 형을 구할 방법을 너한테 일러 준 것도 나야. 흩어진 내 힘을 찾아야 했거든. 벌써 눈앞이 어둑어둑하지? 죽음의 빛이야. 넌 그쪽이 잘 어울려.

죽어 가는 무영을 부려 두고 태연히 자리를 뜨는 형.
홀로 남은 무영의 얼굴, 이미 죽은 사람처럼 생기를 잃었다.

무영(N) 여기까진가… 아무도 없는 곳에서. 슬퍼해 줄 사람 하나 없이 죽어 가는 게 나의 엔딩인가. (자조적으로) 망했다. 어디서부터 잘못된 걸까?

인서트 플래시백

4화 무영이 홍주에게 '네가 아는 천무영은 누구니?'
'넌 산신 말고 의원이 되고 싶어 했어. 살아 숨 쉬는 풀 한 포기까지 아꼈으니까. 네가 다치면 일어섰지만, 나랑 연이가 다치면 서럽게 울곤 했어.'

홍주의 목소리 스쳐 가면, 죽어 가는 무영의 얼굴 아프게 일그러진다.

무영(N) 그때 우린 어렸고, 난 변했으니까. (홍주에게 수줍게 들국화 건네던 무영. 비 오던 거리에서 홍주를 보던 뜨거운 시선) 그래도 홍주야. 세상엔 변하지 않는 게 있더라. (다정히 무영의 머리 쓰다듬어 주던 모습 스쳐 가면) 보고 싶어. 마지막으로 한 번만이라도 좋으니. (극장에서 장난치던 이연, 홍주, 무영. 셋 다 환하게 웃고 있다.) 살고 싶어. 나도….

조용히 흐느끼다 눈을 감는 무영.
그때, 멀리서 '무영아! 천무영!!' 부르는 목소리!
무영이 다시 눈을 뜬다! 굳은 얼굴로 뛰어오는 것, 이연이다!

이연 (한달음에 뛰어와서) 야! 내 말 들려? 정신 좀 차려 봐!

다급히 무영의 목에 손을 대본다! 맥이 잡히지 않는다!

이연 (믿기지 않는 듯) 일어나 천무영. 일어나서 더 싸워야지! 나랑! 너 나한테 복수도 다 못 했잖아!
무영(N) 연이는 왜 이렇게 울 것 같은 표정을 하고 있는 걸까.
이연 너 안 죽어. 못 죽어. 아직! (멱살을 잡고) 그러니까 엄살 부리지 말고 좀 일어나 보라고!

무영이 마지막 힘을 짜내 품에서 '옥빗' 조각 꺼내 든다. 이연에게 건네면.

이연　(안 받는다. 서럽게 버럭) 뭐 어쩌라고!

무영　(겨우 목소리를 짜내어) 죄가 많았다. 너한테.

이연　사과하지 마! 안 받아 줄 거야! 이러고 가면 내가 용서할 줄 알고? 웃기지 마!

무영　(그 마음 알고, 미소) 홍주 지켜 줘… 내 몫까지.

무영의 손에 힘이 빠진다. '옥빗' 굴러 떨어진다. 무영이 눈을 감았다.

이연　일어나… 일어나라고…. (반응이 전혀 없다. 흔들며) 죽지 마! 죽지 마라. 무영아!

이내 무영을 안고, 나직이 흐느끼기 시작한 이연 모습 위로.

무영(N)　어쩌면 거기 있었는지도 몰라. 내 가족… '진짜 내 형제'는.

#46　경성 거리 (밤)

다정히 손 붙잡고 거리를 걷는 이랑과 여희. 지나가는 '방물장수' 보이면.

이랑　(종이학 든 유리병 여희에게 넘겨주고) 잠깐만 들고 있어.

여희 어디 가는데?

이랑 금방 올게.

이랑이 방물장수 쫓아간다. 전통 문양 수놓인 한복 노리개들 보이면.

이랑 (여희에게 줄 노리개 고르고) 이거랑… (남자 장신구 보며) 남자는 먼 길 떠나는 앤데, 제일 튼튼한 게 뭐야?

그 사이. 혼자 남은 여희를 노골적으로 쳐다보는 시선. 여희와 눈 마주친다.
상대는 장옷을 머리끝까지 뒤집어쓰고 있다. 사이로 눈만 보인다.
'잘못 본 건가' 시선을 피해 봐도, 뚫어져라 여희를 주시하는 여자.
이랑은 보이지 않는다. 찝찝한 마음에 자리를 피한다. 여자가 따라온다.
빠른 걸음으로 걷다 뛰기 시작한다. 이내 막다른 골목이다.

여희 (불안한 목소리로) 누구세요?

장옷 벗어 던지며 섬뜩하게 웃는 여인! 용병단의 '유키'다!
그 얼굴에 전에 없던 '커다란 흉터', 이연에게 패한 상처다!

유키　　안녕? (입맛 다시며) 맛 좋고 몸에도 좋은 인어 아가씨.

위기감을 느낀 여희, '삐익-' 인어의 소리 내지르는 순간!
유키가 번개처럼 달려들어 검지손톱으로 여희 목을 '확' 긋는다!
목을 부여잡는 여희! 그 밑으로 한 줄기 피 흐르며, 종이학 병 박살 난다!
인근에서 재유가 설렁탕 소중히 들고, 묘연각으로 돌아가는 길이다.
모퉁이 돌기 무섭게, 누군가 다리를 절며 재유 앞을 막아선다!
비켜 가려는데, 또 다시 길을 막는다! 용병단의 '오오가마'다!

#47　　몽타주 (밤)
무영의 시신 앞에 두고, 흐느끼는 이연!
정신없이 여희를 찾아 헤매던 이랑! 여희가 사라진 곳에 이르러 얼어붙는다!
바닥에 밟힌 종이학들 잔뜩 흩어져 있고! 하얀 종이학에 점점이 피가 묻어 있다!
고통스럽게 종이학 그러쥐고, 절규하는 이랑!!
재유가 있던 자리에는 설렁탕 그릇만 나뒹군다!

#48　　묘연각 (낮)

다음 날. 이연이 묘지에서 꼬박 밤 새운 모습으로 돌아왔다.

홍주 밤새 어디 갔었어?

이연 (표정 감추며) 그냥. 여기저기.

홍주 (다정히 옷에 묻은 흙 털어 주고) 네가 애냐? 이런 거 묻히고 다니게?
(하다가) 무슨 일 있었니? 눈이 빨개.

이연 (어른스럽게) 없어. 아무 일도.

그때 '이연님! 큰일 났어요!!' 신주와 부두목이 숨 가쁘게 뛰어
온다!!

부두목 없어요! 아무데도!

이연 뭐가?

부두목 두목님 사모님이요!!

신주 인어 아가씨가 사라졌어요!

이연 (굳는) 어디야?!

홍주 (바삐 튀어 나가는 이연 뒷모습을 보며) 보아하니 쉽게 가긴 글렀네.
(재유가 사라진 것 아직 모른다. 무심히 재유를 찾는) 재유야!

#49 경성 거리 (낮)

이연이 여희의 실종 지점을 찾았다.
깨진 유리병과 피 묻은 종이학 나뒹구는 가운데.
이랑이 금방이라도 폭발할 것 같은 얼굴로 그 모습 지켜본다.

이연 출혈량으로 봤을 때 치명상은 아니야. 산 채로 끌려갔어.

이랑 누구 짓이야?

둘러보면, 구석에 보란 듯이 놓여 있는 '작은 눈사람' 보인다. 유키다.

이연 !!! (눈사람 확인하고) '용병단'이 살아 있어.

이랑 (말없이 주저앉아, 바닥에 흩어진 종이학을 모으기 시작한다)

이연 (걱정스레) 랑아.

이랑 (깨진 유리 조각 꾹 쥐고) 나 때문이야. 혼자 두지 말았어야 했는데. 내가… 자리를 비웠어.

이연 놔. 피 나잖아!

이랑 (손에 더 힘을 주며) 한심하지? 난 아무도 못 지켜. 인간도, 구미호도 아닌 반쪽짜리. (울분으로) 난 뭐 이렇게 태어났냐?

이연 (손 풀려고 애쓰는) 랑아. 그만.

이랑 (등 떠밀며) 가. 어차피 몇 시간 뒤면 여기 없잖아.

이연 너 이러면 내가 어떻게 가!!

이랑 신경 쓰지 말고 가. 인간 여자가 기다리는 니네 집으로! 처음부터 네 선택지에 나 같은 건 없었잖아!

이연 (터지는) 지금 내 몸에 칼자국이 몇 갠 줄 알아?! 하도 칼을 맞아서 아프지도 않아! 근데! (이랑 손 우악스레 쥐고) 네 손엔 가시만 박혀도 내가 아파! 너 두고 갈 생각하면 나도 미치겠다고!

이랑 (눈물이 툭) 여희도 없는데! 너까지 없으면! 난….

이연 (안아 주며) 약속할게. 혼자 두지 않겠다고. 약속해.

이랑 (아이처럼 흐느끼는) 가지 마. 내 뒤에 있어. 내가 싸울 수 있게.

그런 동생을 가만히 다독이는 이연.
미쳐 버릴 것 같은 그의 얼굴에서.

자막 D-DAY 오전 11:00

11화 끝

조선의 마지막 산신

12

#1	만주 / 모처 (낮)
	아편 연기 자욱한 방. '1938년의 이연'이 폐인처럼 누워 있다.
자막	만주
신주38	(편지 들고 달려오며) 이연님! 경성에서 편지가 왔어요!
이연38	(일어나지도 않고, 성가신 듯) 누군데? 읽어 봐.
신주38	(읽는) '꽃이 지고 있어. 돌아갈 시간이 가까워지고 있단 뜻이지. 원치 않게 이 시대로 던져져서….'
	인서트
	며칠 전, 묘연각에서 홀로 편지 쓰는 이연의 모습 교차된다.
이연(N)	'원치 않게 이 시대로 던져져서 고생만 오지게 했다고 쓰고 싶었는데, 돌아보니 꽤 멋진 악몽을 꾼 기분이 드네. 1938년의 넌 약이나 빨고 있지만, 그쪽 세상의 난, 꽤 많은 걸 갖고

있어. 플래티넘 카드에, 최신형 안마의자, 안티에이징의 정수인 고주파 마사지기에, 아, 우리 집엔 홈시어터도 있다?'

이연38 (죄다 모르는 물건이다. 짜증스레) 얘 뭐래니?

신주38 (긁적) 글쎄요.

이연(N) '뭔지 몰라도 넌 그냥 박탈감을 느끼면 돼. 나 잘난 척 하는 중이니까.'

이연38 이거 완전 미친놈이네!

신주38 (편지 가리키며) 얘도 이연님이에요.

이연38 (끙)

이연(N) '세상은 미친 듯이 변해. 경성은 아파트 단지가 되고. 신들이 깃들 자리는 사라지고. 사람들은 더 이상 전설을 믿지 않아. 우린 아주 가끔, 드라마 속에나 등장하게 돼.'

신주38 왠지 싸한데요?

이연(N) '그때 가서 후회하지 말고. 돌아와 조선으로. 이 시대는 아직 구미호를, 산신을 필요로 해. 돌아와. 랑이 곁으로. 랑이한테 얼마 남지 않은 시간, 나 대신 그 애 곁을 지켜 줘.'

이연38 (그만 읽으라고 손짓) 됐어. (돌아누우며) 어디서 설교질이야?

신주38 (정신없이 편지 보여 주는) 잠깐만요! 이건 보셔야 될 거 같은데!

이연38이 흐릿한 눈으로 편지 들여다보면, 빨간 글자로 적힌 '추신'

이연38 (읽는) '참, 한 가지 빼먹은 게 있는데, 우리 집엔 그녀도 있다.'

신주38 그녀?? 세상에! 아음 아가씨가 다시 태어났나 봐요!!

이연38 (믿기지 않은 듯, 추신란 뚫어지게 들여다보다) 신주야… 짐 싸라. 돌아가자. 경성으로.

편지 꼭 쥐고 벌떡 일어난 이연38 위로.

자막 D-DAY 월식 9시간 전

#2 실험실 (낮)

여희와 재유가 실험실 감옥에 갇혀 있다.
여희의 다친 목에 간이 붕대 감겨 있고. 재유도 납치 과정에서 약간의 부상을 입었다.

재유 (불안해하는 여희에게, 차분히) 두려워요?

여희 (말하려는데, 다친 성대에서 목소리 안 나온다. 눈물 글썽해서 끄덕)

재유 난 안 두려워. 사장님은 한 번도 우릴 버린 적이 없거든요. 오실 거예요. (먼 곳을 보며) 분명히 오실 거야.

#3 오복 양품점 / 안팎 (낮)

운전기사가 양품점 앞에 차를 세운다. 경무국장이 차에서 내린다.
오늘 결혼식에 입을 맞춤옷을 찾으러 왔다. 우렁각시가 완성된 옷 건네며.

우렁각시 (긴장한 표정 역력해서) 입고 가실래요? 아님 싸 드릴까요?

국장 입어 봐야지.

우렁각시 탈의실은 이쪽입니다.

옷 갈아입고 나와 거울을 본다. 우렁각시는 보이지 않는데.

국장 바지가 좀 긴 거 같지 않니?

이연 (등 뒤에서 고개를 불쑥) 다리가 짧은 게 아닐까?

거울에 비친 그 얼굴, '이연'이다! '흠칫'해서 돌아서면!

이연 너구나? 총독부 경무국장이란 놈이.

국장 (싱긋) 내가 말했지? 다시 만나게 될 거라고.

이연 정체가 뭐냐 너?

국장 '다이텐구' 살아선 덕망 높은 스님이었고, 전쟁 전엔 본토의 산신이었다.

자막 다이텐구 - 일본에서 산신(山神)으로 섬겨지는 요괴

이연 산신?!

국장 '같은 산신'으로서 너한테 관심이 많아.

이연 (검을 꺼내 쥐고) 나와. 같은 산신끼리 결판을 내자.

국장 (여유 있는 태도로) 나 결혼하러 가야 돼.

이연 죽으면 영혼결혼식 그런 거 치러 줄게.

국장 인질 찾으러 온 거 아닌가? 보물은 가져왔나?

이연 당연히 놓고 왔지.

국장 네가 죽으면 난 보물을 못 찾고, 내가 죽으면 넌 인질을 못 찾아. 교환하자. 공평하게.

이연 너 정규 교육 안 받았지? 공평의 뜻을 모르는 거 같은데.

국장 신문 같은 건 안 보니? 니들 나라 잃은 지 28년 됐어. 내가 공평이라면, 그게 공평이야. 금척이랑 수호석 가져와.

이연 얘 물정 모르는 것 봐. 금척은 이제 없어. 북쪽 산신이 날려 먹었거든. 남은 건 수호석 뿐.

국장 (인상 찌푸리며) 그거라도 넘겨.

이연 네가 수호석이 왜 필요하니?

국장 세상 제일가는 결계를 만드는 물건이라 들었다. 우리 제국은 전쟁 중이고, 본토를 지키는 것도 내 임무거든.

이연 내 임무는 그거 갖고 집에 가는 거야.

국장 오늘 안에 못 찾으면, 인질은 죽는다.

이연 인질을 찾으면, 넌 오늘 죽어. (시계를 본다. 오후 1시 경이다. 단호히) 지금부터 '꼬리잡기' 시작.

국장 이쪽은 '벌써' 시작했어.

팽팽하게 마주 선 두 남자 모습에서!

자막 D-6시간

#4 묘연각 / 홍주의 방 (낮)

같은 시각. 홍주와 이랑이 묘연각 찾아온 '아키라'를 마주하고 있다.

홍주 너… 방금 뭐라고 했어?!

아키라 (경쾌한 톤으로) 인질은 '둘 중에 하나'만 살 수 있다고 했습니다.

홍주, 이랑 뭐?!!

아키라 류 사장님한테 수족과 같은 아이. 그리고 이쪽 여자 친구가 저희 손에 있어요. (서늘하게) 둘 중에 하나만 살려 보냅니다.

이랑 원하는 게 뭐야!!

아키라 구미호랑 싸워서, 먼저 보물 가져온 쪽을 풀어 드릴게요. 원래 조선 놈들은, 조선 놈끼리 밥 먹듯 싸우잖아요.

이랑 (멱살 확 틀어쥐고) 죽여 버릴 거야!!!

홍주 (말리는) 이런다고 될 일 아냐! (아키라에게) 재유는 풀어 줘. 갠 관계없잖아!

아키라 류 사장님께 기회를 여러 번 드렸어요. 번번이 뒤통수를 치셨고. (홍주 도발하듯) 뭣보다 꼭 한 번 보고 싶었어요. 그 표정.

하자마자, '퍽!!' 홍주 주먹이 아키라의 얼굴을 매섭게 강타한다!

아키라 (입가의 피를 닦고, 일어나 웃는) 이럴 시간이 있나 몰라. (옷 가다듬으며) 죽어라 뛰세요. 두 분은 이제 '라이벌'이니까.

홍주, 이랑 ('쿵!!' 동시에 서로를 마주 본다)

#5 오복 양품점 (낮)

국장은 가게를 떴다. 숨어 있던 신주와 우렁각시가 튀어나와서.

신주 이 사태를 어떡하죠?! 수호석이랑 인질 중에 선택하란 거잖아!

우렁각시 우리 여희 좀 살려 주세요. 이연님!

신주 월식이 오늘이에요! 수호석을 넘기면, 돌아갈 방법이 없어!

이연 (소파에 앉아, 진지하게 생각에 잠겼다)

신주 (답답한 듯 발을 동동) 6시간도 안 남았어요! 뭐라고 말 좀 해 봐!

이연 신주야. 너 지금 바로 가서….

신주 (다급히) 예!! 뭐부터 할까요?!

이연 아이스 아메리카노 하나만 사 와.

신주 아아요? 이 와중에?

이연 놈이 머리싸움을 걸어 왔어. 카페인이 시급해.

그제야 잽싸게 뛰어나가는 신주.

어디선가 냉면 사발에 얼음 동동 띄운 커피 구해 왔다. 이연이 마시고.

이연 후… 맛없어. (그릇 넘겨주며) 사약이 따로 없네.

신주 가지가지 한다. 진짜.

이연 (생각 끝났다. 털고 일어서서) 가자. 묘연각으로. 우렁각시는 가서 신부 데려오고, (신주에게) 관계자 전원 집합시켜.

#6 묘연각 / 홍주의 방 (낮)

홍주와 이랑, 둘만 남아 있다. 둘 사이의 공기 무겁기만 하다.

홍주 (독주 한 모금 쭉 마시고, 작심한 듯) 너, 보물 어디 있는지 알지?

이랑 (!!!) 이연을 배신할 셈이야?!

홍주 재유한테는 나밖에 없으니까. 진돗개가 그래. 바보같이 평생 하나의 주인만 섬기면서. 뭔 짓을 당해도 내가 올 거라고, 믿고 기다릴 거야.

이랑 이연은 어쩌고? 수호석 없으면 걔 집에 못 가!

홍주 솔직해지자 우리. 연이 여기 남는 거, 너나 나나 바라던 일 아닌가?

그 말에 이랑 눈빛 흔들리는데!

이연 (문 벌컥 열고 들어오며) 사랑은 말이야. 놓아줄 때를 아는 거야.

홍주 (살짝 당황해서) 연아!

이연 두 분 고민이 많은 거 아는데. 자, 이 자리에서 선택해. 놈들이 깔아 놓은 불판에서 놀아날지. 아님, 나랑 같이 그 불판 뒤집어 놓을지.

홍주, 이랑 !!!!!

#7 묘연각 / 정자 (낮)

세 사람 기다리는 가운데, 신주와 부두목이 제일 먼저 나타난다.

딱 붙어 앉는다.
'신부 데려왔어요!' 우렁각시가 은호 손을 잡고 정신없이 뛰어온다.
매난국죽도 뒤쪽에 합석. 다들 착석하면 이연이 빠르게 브리핑한다.

이연 우리는 '두 가지 목표'를 가지고 이 자리에 모였어. 첫째, 두 명의 인질을 무사히 구한다. 둘째, 이 사태의 원흉인 경무국장 일당을 쓸어버린다. 우리의 약점은 시간. 월식은 오후 7시면 끝나. 제한 시간 안에 애들을 구하고, 놈을 잡아야 돼.
홍주 (초조하게 시간 확인한다. 2시가 좀 넘었다) 앞으로 5시간….
이연 누군가, 다치거나 죽을 지도 몰라. '살고 싶으면 지금 빠져.' 라고 폼 나게 말하고 싶은데 (진심으로) 난, 니들이 필요해.

단단한 신뢰의 눈빛으로 이연을, 그리고 서로를 보는 그들이다.

이연 좋아. 이제부터 팀을 나눠서 움직일 거야. 먼저 (신주와 부두목 가리키며) 이쪽은 흩어져서 인질들을 찾는다.
부두목 (멍해서) 어떻게 찾죠??
이연 납치가 벌어진 건 밤 10시 경. 통행금지가 없는 시대야. 놈들이 하늘로 솟지 않은 이상, 반드시 목격자가 있어.
신주 두 분 사진 같은 거 있나요? 탐문 하려면 필요한데.
홍주, 이랑 없어. 나도.
이연 내가 '그림 좀 그린다' 하는 애, 손?

국희가 손을 번쩍 든다.

#8 몽타주 (낮)

이하, 등장인물들의 액션 스피디하게 교차된다.

붓으로 '여희와 재유 초상화'를 척척 그리는 국희. 옆에서 난초가 먹을 간다.

이랑이 뜰에서 휘파람을 분다. 어디선가 '마적단' 기다렸단 듯 나타나 열을 맞춘다.

여희 초상화를 들고 뭐라 말하려는데, 부두목이 냉큼.

부두목 두목님 사모님이 납치되셨다! 우리 마적단 명예를 걸고 찾아내!!

마적단 (우렁차게) 예!!

이랑 (열 받아서) 네가 두목이냐?

부두목 죄송합니다! 의욕이 너무 앞서가지고!

잠시 후, 부두목을 필두로 '우르르' 묘연각 나서는 마적단.

인서트

조금 전 작전 회의. 이연이 신주에게.

이연 사람보다 청각과 동체 시력이 훨씬 뛰어난 게 개들이야. 넌 동물과 대화하는 능력이 있지.

묘연각 인근. 신주가 동네 똥개 3마리 묶어 놓고, 위엄 있게 말한다.

신주 니들이 이 동네 서열 1, 2, 3위라며? 경성에서 먹고 사는 '집개, 떠돌이 개' 전부한테 전해! (재유 초상화 보여 주는) 이 자를 찾고 있다고! 납치된 건 토종 진돗개! 같은 개로서 책임감을 갖도록! (한 마리 컹컹댄다) 너, 말해 봐!

개 (멍멍)

신주 (듣고) 넌 잡종이라 순종 진돗개 싫어한다고? (커다란 뼈다귀들 든 자루 보여 주며) 현상금이 이만큼 걸렸는데?

이내 어디론가 빠르게 내달리는 개들.

인서트

정자에서 이랑, 부두목, 신주 빠졌다. 이연이 은호와 우렁각시, 기생들에게.

이연 이 팀은 결혼식장 습격을 준비해. 난 이쪽 상황 정리 되는대로 합류한다.

은호 (폭탄 보여 주며) 문제는 폭탄만 있고, 무기가 하나도 없어요. 조직이 싹 털려서.

홍주 (의미심장한 표정으로) 따라와.

홍주가 창고로 안내한다.

창고 열면, 수북이 쌓인 나무 박스에 기관총, 권총, 총알들.

이연 (기가 차서) 너 전쟁 나가니?

홍주 금 팔아서 모은 거야. 언젠가 이런 날이 올 거 같아서.

우렁각시 근데 이걸 어떻게 갖고 들어가죠? 저는 얼굴이 노출됐고, 호텔 경비가 살벌할 텐데!

이연 (기생들 가리키며) 쟤들 있잖아.

홍주 (매난국에게 가서) 나한텐 이 조선만큼 귀한 게 니들 목숨이야. 절대, 다치지 마.

잠시 후, 군인들이 지키고 선 반도 호텔. 은호가 호텔로 들어선다.
매화가 꽃바구니 들고, 난초와 국희가 기다란 나무 상자 들고 뒤를 따른다.

군인 (막아서며 일본어로) 검문.

은호 (일본어로 거만하게) 나 타와라 긴코야. (가리키며) 신부 들러리고.

군인 (경례하고) 죄송합니다. 보안에 총력을 기하라는 명이 있어서. (뒤에 셋만 잡는다. 몸수색을 하고, 상자 가리키며) 열어.

터질 듯한 긴장으로 서로를 본다. 군인이 나무 상자 우악스레 연다. 그런데 속에서 나온 것 난초의 '가야금'이다.

군인 뭐야?

은호 (조선말로) 가야금.

다들 신부 대기실로 들어왔다.
난초와 국희가 가야금 들어내고, 상자 한 겹을 더 연다. 기관총과 권총 들어 있다.
은호는 자신의 치마 속에 묶어 둔 다이너마이트 꺼낸다.
약속한 듯 호흡을 맞춰, 난초가 가져온 꽃바구니에 폭탄 묶기 시작한다.

인서트

묘연각에는 이연과 홍주, 죽향만 남았다.

홍주 죽향아. 넌 주먹밥 만들어서 애들 오는 대로 먹여!
죽향 네!! (하고, 달려가면)
홍주 (이연에게) 난 탈의파한테 가 볼게! 할멈 천리안만 있으면!
이연 (정신없이 나가려는 홍주 붙잡고, 다정히 안심시키듯) 홍주야. 알지? 우리가 팀일 때는 져 본 적이 없어. 애들 꼭 찾아낼 거야.
홍주 (마주 보고) 믿어.

홍주가 차를 몰고 빠르게 묘연각 나선다.
'정 형사'가 그런 홍주를 은밀히 지켜보다 자리를 뜬다.

#9 종로 경찰서 (낮)

정 형사가 어디론가 전화를 걸고 있다.

정 형사 예… 놈들의 움직임이 예사롭지 않습니다! 호텔 경비도 강화해야 되지 않을까요? 저한테 맡겨 주시면!

아키라(E) 해 봐.

정 형사 (끊고, 형사들에게) 다들 주목! 총독 각하께서 참석하는 결혼식장을 적이 습격할 거란 첩보가 들어왔다! ('이연 초상화' 보여 주며) 이 자가 요주의 인물이다! 목숨 걸고 막아!

무장한 형사들, 급히 경찰서를 나선다.

#10 반도 호텔 / 로비 (낮)

경무국장이 테이블에 앉아서 차를 마시고 있다. 아키라가 빠르게 다가와.

아키라 그자가 인질을 찾으려고 혈안이 돼 있답니다!

국장 (태연히) 그러겠지.

아키라 인질을 다른 데로 옮길까요?

국장 그럴 필요 없어.

아키라 예?? 놈이 인질을 찾으면 계획이 수포로 돌아갈 텐데요!

국장 (싱긋) 넌 지금 바로 그리 가서, 내가 시키는 대로 해.

국장이 뭐라 귀띔한다. 아키라가 바로 호텔을 나선다.

#11 묘연각 / 뜰 (낮)

이연이 혼자 남아 시계를 본다. 오후 3시 45분. 초침 소리 더욱 크게 들린다.
먼 곳을 보며 '다들 조금만 더 서둘러!' 그 위로.

자막 D-3시간 15분

#12 내세 출입국 관리 사무소 / 인근 (낮)

홍주가 차를 몰고 탈의파 찾아가는 길. 혼자 걸어오는 현의옹 보인다.

홍주 현의옹 할아버지!
현의옹 홍주야. 할멈 보러 가니?
홍주 (마음 급해서) 네. 사무소 계시죠?
현의옹 지금은 가지 마라. 손님이 온대.
홍주 손님? 누구요?
현의옹 글쎄. 누군진 몰라도 해지기 전엔 절대 들어오지 말라대?
홍주 저 그럴 시간 없어요!

홍주의 자동차 '쌩' 하고 현의옹을 스쳐 간다.

현의옹 아이고. 저 성질머리 하고는.

#13 내세 출입국 관리 사무소 (낮)

탈의파가 '손님'을 기다리고 있다.
평소와 달리 눈에 띄게 긴장한 모양새. 초조하게 냉수 들이켠다.
컵 내려놓는데, 머리카락이 바람에 살짝 나부낀다! 등 뒤에 뭔가 있다?!
'흠칫'해서 뒤돌아본다! 경악하는 탈의파 얼굴에서!
시간 경과되면, 홍주가 사무소 도착했다. 문 열려 있다. 다급히 '할멈!' 부르며 들어간다.
탈의파가 창밖을 보고, 뒷모습으로 서 있다.

홍주 할멈. 천리안 좀 빌려줘! 급한 일이야!
탈의파 (미동도 없는데)
홍주 왜 그러고 있어?

하며, 돌려 세운다! 그런데 탈의파의 한쪽 눈 시커멓게 변해 있다!

홍주 (기함해서) 눈이 왜 이래!
탈의파 최초의 산신… 그자가 돌아왔다. 봉인에 실패했어. 그래서 천리안이 놈의 손에…. (하면서, 휘청한다)
홍주 (얼른 부축하며) 최초의 산신이라니?! 그게 다 무슨 소리야?
탈의파 수호석을… 미래로 돌려보내야 돼. (홍주 붙잡고) 연이한테 전해. 오늘 반드시 '제 시간'에 와야 된다고!

#14 묘연각 / 홍주의 방 (낮)

돌아온 홍주가 이연을 마주하고 있다. 둘 다 심각해진 표정.

이연 최초의 산신?! 왜놈들이 수호석을 노리고, 총공을 펼치는 마당에 '뉴 페이스'까지?

홍주 책임지고 수호석 가지고 돌아가. 그자가 네 가지 보물을 다 모으면, 세상에 종말이 온대!

이연 종말이라니?!

홍주 무영인 어디 있니? 금척으로 그자가 되살아났다면, 무영이는?!

이연 지금은, 모르는 편이 나을 거야.

홍주의 얼굴 굳어지는데, 이랑과 신주가 뛰어 들어온다.

이랑 애들 납치한 군용 트럭이 독립문 쪽에서 사라졌어!

신주 그 동네 개들 말로는, 죄수들 실어 나르던 트럭이래요!

홍주 독립문… 죄수….

이연, 홍주 (동시에) 서대문 형무소!

홍주 (곧바로 나갈 채비하며) 가자!

이연 잠깐만. 뭔가 마음에 걸려.

홍주 뭐가?!

이연 애들 위치가 너무 쉽게 노출된 거 같아.

홍주 더 생각할 시간이 없어! 곧 결혼식 시작이지? 이쪽은 나한테 맡기고, 넌 국장을 끝내! (부두목에게) 차 시동 걸어!

홍주와 부두목이 방을 나선다. 신주가 걱정스레 그 뒤를 따라 나선다.

이랑	(나가며) 갔다 올게!
이연	(잡고) 랑아. 옛날에 아버지가 이런 얘기를 했어. 나한테 동생이 하나 있는데, 그놈은 언젠가 나를 뛰어넘을지도 모른다고.
이랑	(코웃음 치는) 거짓말.
이연	반쪽이니 어쩌니 해도 너 내 동생이야. 어엿한 구미호 일족이고. 목숨 걸고 싸우는 순간이 되면, 네 스스로를 믿어 줘. 형이 너를 믿는 것처럼.
이랑	믿기진 않지만 듣기 싫진 않네. (진심으로) 너도 꼭 살아 돌아가라.
이연	너한테는 이 말 한 번도 못 해 줬는데 (잠시 망설이다) 사… 사랑….
이랑	닥쳐.
이연	(냉큼) 응.

#15 묘연각 / 앞 (낮)

부두목이 차 시동을 건다. 쫓아온 신주, 얼른 스니커즈 벗어 운전석에 건넨다.

신주	네 신발 나 주고! 너 이거 해! 그거 신고, 죽을 거 같으면 겁나 빨리 도망가!
부두목	(감동해서) 한정판인가 뭔가 라며?!

신주 이쪽 세상에서 네가 내 한정판이었어!

부두목 (자기 신발 건네며, 눈물 글썽) 친구야!

홍주가 차에 탄다. 이연과 이랑이 나온다. 이랑이 조수석에 오르면.

홍주 출발해!

이연 (신주에게) 우리도 가자!

신주가 달려가 운전석에 오른다.
각자 반대 방향으로 빠르게 출발하는 두 대의 자동차.
내심 불안한 듯 멀어지는 차를 돌아보는 이연. 그 위로.

자막 D-2시간 10분

#16 반도 호텔 / 로비 (낮)

종로서 형사들이 식장 곳곳을 수색 중이다.
매화는 테이블에 꽃을 꽂고. 난초와 국희가 연단으로 폭탄 꽃바구니 옮기는 중.

인서트

앞서 이연이 기생들 앞에 놓고 지시하던 장면이다.
난초가 '폭탄은 어디 심을까요? 안 보이는 곳이 좋겠죠?

이연이 '제일 눈에 띄는 곳으로. 원래 등잔 밑이 어두운 법이야.'

정 형사가 매화를 발견하고 다가온다.

정 형사 네가 왜 여기 있냐?
매화 (!!!) 은호 아가씨 부탁이야. 결혼식 도우미. 그러는 오빠는?
정 형사 (뻐기며) 경무국장님 경호를 내가 맡았어. (작은 소리로) 나 말이야. 잘 하면 경찰서장이 될 지도 몰라.
매화 제발 좀 정신 차려. 그러다 명줄 짧아져.
정 형사 (머리를 툭툭) 꼴에 동생이라고 걱정은.

그때 난초가 '쿵!' 연단의 마이크 떨어트렸다! 마이크 켜져 있다!
정 형사가 날카롭게 그쪽을 본다! 다가가서 난초와 국희를 빤히!
국희가 손을 '벌벌' 떨고 있다!

정 형사 넌 왜 그렇게 손을 떨어?
난초 얘는 수… 수전증이요!!
국희 (매화에게) 언니! 가자!

눈에 띄게 당황한 모습으로 나가는 기생들!
정 형사, 석연찮은 눈빛으로 보다가 '꽃바구니' 냄새를 맡아 본다!

#17 실험실 / 안팎 (낮)

아키라가 실험실 복도에서 유키와 오오가마 불러 놓고.

아키라 조금 있으면 놈들이 들이닥칠 거야.

유키 바라던 바야. 우리 시니가미 용병단의 복수를 해야지.

아키라 (오오가마에게 '유리 주사기' 2개 건네며) 국장님 지시다.

오오가마 뭔데 이게?

아키라 (목소리 낮춰) 귀소목. 지금 바로 주사해.

자막 귀소목 - 귀신이 붙어서 휘파람을 부는 나무

감옥 안에서는. 재유가 문에다 귀를 대고 엿듣고 있다가.

재유 (여희에게) 사장님이 오고 계시나 봐요! 내가 말했죠? 사장님은 절대 우릴 버리지 않는다고!

여희 (덩달아 희망에 찬 눈빛이다)

잠시 후, 유키와 오오가마가 감옥 문을 연다.

여희가 벽에 붙어 떨고 있다. 오오가마가 '어라? 한 놈은 어디 갔지?'

주사기 들고 먼저 들어오다가, 문 뒤에 숨어 있던 재유의 기습에 나자빠진다!

유리 주사기 바닥에 떨어지면서 1개 깨졌다!

오오가마 (무서운 힘으로 재유 가격하는) 이 새끼가!

유키 (주사기 확인하고) 젠장! 하나가 깨졌어!!

오오가마 (남은 건 하나뿐이다) 둘 중에 누구로 하지? (여희 가리켜) 이거?

유키 아냐. (재유 가리키며) 저걸로 해. 그 '계집 산신'이 아끼는 놈이야.

오오가마가 피 흘리며 저항하는 재유 머리채 잡고, 어디론가 끌고 간다!
여희가 말려 보려는데! 유키가 우악스럽게 멱살 움켜쥐고!

유키 따라와. 너도 네 몫을 해야지.

#18 서대문 형무소 / 앞 (낮)

각자의 무기로 무장한 홍주와 이랑, 부두목이 형무소 앞에 도착했다.
입구에는 경비만 둘 서 있다. 부두목이 앞장서 동태를 살핀다.

홍주 (이랑의 '금도끼'를 보고) 뭐냐 그건? 상스럽게.

이랑 (자기도 약간 부끄럽다. 시선 피하며) 시끄러. 선물 받은 거야.

부두목 (달려와서, 작은 소리로) 안에 몇이나 되는지 안 보여요. 최대한! 은밀하게 잠입하시는 게…. (하는데)

이미 부두목을 스쳐, 당당히 밀고 들어가는 홍주와 이랑.

#19 실험실 / 복도 (낮)

건물 안으로 들어온 세 사람, 흩어져서 주위를 살핀다.

내부에는 개미 새끼 한 마리 보이지 않는다.

홍주 뭔가 이상해. 경비가 하나도 없어. 감옥도 텅 비었고.

부두목 함정 아닐까요?

이랑 (바닥을 가리키며) 여기! '핏자국'이야!

핏자국은 공터로 이어진다.

#20 실험실 / 공터 (낮)

여희가 눈물범벅이 된 채 의자에 묶여 있다.

그 앞으로 유키, 바닥에 편안히 앉아 조약돌로 '공기놀이' 중이다.

일행 나타나면. 기다렸다는 듯 무기를 들고 일어서며.

유키 왜 이제 와? 지루해 죽는 줄 알았네.

이랑 여희야!!

유키 (여희 목에 흉기 대고) 거기 딱 서. (이랑 얼굴을 보고) 어머 미남!

홍주 너 아직 안 뒤졌냐?

유키 아이씨. 저년도 왔어. (새침) 나한테 말 시키지 말아 줄래?

이랑 그 여자한테 손끝 하나만 대 봐!

유키 어떡해? (여희 목에 상처 보여 주며, 깜찍하게) 벌써 댔는데?

이랑 (달려드는) 죽여 버릴 거야!!

유키 (피가 배도록 칼끝을 꾹 누르며) 한 발짝만 더 움직여 봐.

이랑, 멈칫한다! 그 순간! 홍주가 날듯이 달려들어 유키를 발로 까 버린다!

홍주 움직였다. 어쩔래?

노기등등해서 일어서는 유키를 살벌하게 패는 홍주!
몇 대 패고, 유키 머리를 '쾅!!' 벽에 짓찧자 더 이상 일어서지 못한다!
그 사이, 이랑과 부두목이 여희의 밧줄을 푼다.
밧줄 풀리기 무섭게, 여희가 자기 손가락 깨물어 바닥에 피로 글씨를 쓴다.
'재유 씨가 위험해요!'

홍주 (사색이 돼서) 어디야!!

여희 (손으로 급히 방향을 가리키면)

홍주 (곧바로 이랑에게) 간다.

이랑 같이 가!

홍주 (무섭게 냉정해진 얼굴로) 필요 없어. (하고, 가 버린다)

이랑 야!!

홍주 사라지면, 여희 상처 아프게 보며.

이랑 미안. 미안해. 내가 더 빨리 왔어야 했는데….

여희 (말 끝나기도 전에 여희가 와락 안아 준다. 되레 이랑을 토닥)

이랑 (꽉 끌어안고) 하루 동안 세상을 다 잃은 기분이더라.

부두목 (시큰하게 웃는데)

등 뒤에서 소리 없이 일어서는 유키!! 이랑은 아직 모른다!

#21 야산 (낮)

오오가마가 축 늘어진 재유를 나무에 묶는다. 바닥에 주사기 나뒹군다.

'재유야!!' 멀리서 재유를 찾는 홍주의 모습 교차된다.

오오가마 (홍주 목소리에 히죽) 걸려들었구나! 너 찾으러 왔나 봐!

홍주(E) 재유야! 내 말 들리면 대답해!

오오가마 대답.

재유 (정신이 희미한 중에도) 싫어.

오오가마가 인상을 구기더니, 양손으로 재유 머리를 터뜨릴 듯이 짓누른다!

온 힘을 다해 참던 재유의 비명 터져 나온다!

홍주가 소리 나는 방향을 돌아본다!

오오가마 그럼 주인이랑 즐거운 시간 보내라. (하고, 자리를 뜬다)

홍주가 재유를 찾았다!

홍주 (한달음에 달려가) 재유야! 눈 좀 떠 봐! 나야!!

재유 (초점 잃은 눈으로) 사장…님?

홍주 (안도하며) 살아 있구나? 살아 있어! (하고, 묶인 줄 풀어 주려는데)

재유 (힘없이) 풀면 안 돼요. 풀면….

하는데 아랑곳 않고, 단숨에 단도로 밧줄 끊어 버린다!

홍주 괜찮니? (몸 여기저기 확인하는) 다친 덴 없고?

재유 (혼란스러운 듯 자기 이마 짚으며) 여기 계시면… 안 돼요.

홍주 가자.

재유를 부축해서 일으킨다! 그 순간, 재유 머릿속에서 들리는 '휘파람' 소리!
재유가 홀린 듯 홍주의 단도를 빼앗아 휘두른다!
미처 피하지도 못하고 베였다! 홍주 경악하는데!

재유 (홍주에게 닥치는 대로 칼 휘두르며) 죽어… 죽어….

홍주 (피하며) 재유야. 너 왜 이래? 나 홍주야!! (나무에 재유 확 밀어붙여 놓고) 유재유! 정신 차려!!

그런데! 재유가 어깨를 '콱' 물어뜯는다!
고통으로 눈 질끈 감는 홍주! 홍주 신발 위로 피가 '뚝뚝' 떨어진다!
그럼에도 홍주, 재유를 놔주지 않는다! 대신 가만히 머리 쓰다듬으며!

홍주 괜찮아. 다 괜찮아질 거야.
재유 (그 손길에 조금씩 진정이 된다. 이내 정신이 들어) … 사장님?
홍주 (안심시키는) 그래. 그래 나야.
재유 (홍주 상처를 보고) 제가… 그런 거죠? 제가 어떻게 사장님한테….
홍주 (차분히) 그놈들이 너한테 무슨 짓을 한 거니?
재유 (괴로운 듯) 머릿속에서… 누가 휘파람을 불고 있어요.
홍주 휘파람? (바닥의 '주사기'와 재유 팔뚝에 '멍든 주사 자국' 발견하고) 설마 귀소목!!

그때! 다시금 재유 머릿속에서 들리는 휘파람 소리! 홍주 '확' 밀어내고!

재유 가세요! 더 이상은 못 버티겠어!
홍주 (난호히) 너 없인 절대 안 가. 죽어도 데려갈 거야.
재유 전 못 가요. 놈들이 그랬어. 휘파람 소리가 들리면 돌이킬 수 없다고!
홍주 (간곡히) 방법이 있을 거야! 응? 내가 찾을게!
재유 제발!!!

재유가 홍주를 뿌리치고 달아난다! 놓치지 않고 재유를 붙잡는 홍주!
휘파람 소리 점점 커진다! 단도를 든 손 '부들부들' 떨린다!
무방비하게 노출된 '홍주 목덜미'에 시선! 당장이라도 홍주를 찌를 듯!
이를 악물고 견디는 재유 눈앞에!

인서트 플래시백

'전 죽을 때까지 하나의 주인만 섬길 겁니다.' 하면 다정히 쓰다듬던 홍주.
'약속하세요. 다시는 안 다친다고! 차라리 제가 다칠게! 저는 죽어도 괜찮으니까!'
'죽긴 왜 죽어. 인마. 넌 내 건데.'

휘파람 소리와 다정한 기억들 뒤섞이며, 머리가 터질 것만 같다! 이내 재유, 홍주 목덜미를 향해 칼 휘두르나 싶더니!
그대로 몸을 돌려 자기 복부를 '퍽!' 찌른다!
'안 돼!!!' 절규하듯 외치는 홍주 모습에서!

#22 반도 호텔 / 신부 대기실 (낮)

은호가 신부 드레스 차림으로 앉아 있다. 은호 아빠가 기가 막힌 듯.

아빠 네 엄마 자고 있단다. 두통약 먹는다더니 수면제를 주워 먹었대.

은호	그거, 제가 바꿔 놓은 거예요.
아빠	뭐??
은호	엄마는 여기 올 '자격'이 없어.
아빠	(버럭) 이 자식이 지 엄마한테 무슨 소릴 하는 거야!!
사회자	(급히 나타나서) 총독 각하께서 도착하셨습니다.

은호 한 번 노려보더니, 부랴부랴 총독을 맞이하러 나간다.

은호	(시계를 보며 초조하게) 구신주. 이연. 왜 아직도 안 오는 거야?

#23 반도 호텔 / 앞 (낮)

이연과 신주, 차를 몰고 막 호텔 인근에 도착했다. 시간은 오후 5시 35분.

이연	(내리기 전에) 신주야, 여기서 탈의파 할멈한테 얼마나 걸리니?
신주	차로 15분? 늦어도 6시 40분엔 출발해야 돼요!
이연	(시계 한 번 보고) 가자!
신주	(잡고) 이연님. 한마디만 해 줘요. 우리 살아 돌아갈 수 있다고.
이연	내가 너 데려왔어. 책임지고 집에 보낼게. (하고, 내린다)
신주	후, 여행자 보험 같은 거 빵빵하게 들어 놓을 걸.

신주가 심호흡하고 따라 내린다. 가까이 가서 보면 호텔 경비 삼엄하다.

신주 저걸 어떻게 뚫고 들어가죠?

이연 야, 나 구미호야.

#24 실험실 / 공터 (낮)

그 시각! 이랑이 도끼를 들고, 유키와 오오가마를 마주하고 있다!

이랑 뒤로 여희와 부두목!

유키 바보. 그 산신 계집을 유인한 건, 널 고립시키기 위해서야.

오오가마 네 형이 우리 용병단을 파… 파괴했다.

이랑 (부두목에게) 여희 데리고 먼저 나가!

부두목 안 돼요! 두목!! 같이 가!

이랑 나가!!

부두목이 여희 데리고 뛰는데! 오오가마가 번개처럼 그 앞을 막아선다!

오오가마 유키 허락 없인 아무도 못 나가.

그 틈에 이랑이 유키를 기습한다!

둘이 호각인 듯 보이지만! 이랑은 전력으로, 유키는 가볍게 받아친다!

유키 어머, 너 되게 약하구나?

이랑 뭐?!

유키 같은 구미호라 기대를 좀 했는데, 별 거 아니네. 우리 재주를 쓸 필요도 없어. (오오가마에게) 놀아 줘.

오오가마가 무기를 내려놓는다! 맨주먹으로 이랑을 가지고 놀 듯 패기 시작!
이랑이 반격해 보지만, 거구의 오오가마에게는 타격이 거의 없다!
잔인하게 이랑을 메다꽂는 오오가마! 지켜보는 여희 마음 찢어진다!

부두목 (도우려고) 두목!!

이랑 (이를 악물고 일어나며) 오지 마!! 오지 말고 여희 지켜!

일어나기 무섭게, 또 오오가마의 주먹에 쓰러진다!
쓰러진 채 도끼 잡으려고 손을 뻗는데! 오오가마가 이랑의 손을 꽉 밟는다!
고통스럽게 신음하는 이랑! 지켜보는 여희가 괴롭게 눈물을 쏟는다!

오오가마 어떻게 그 구미호랑 둘이 형제지?

유키 나도 오빠가 하나 있거든? 아키라라고. 나보다 훨씬 약골이야. 내가 몇 번 구해 줬는데, 하다 보니 이런 생각이 들더라. '귀찮

아. 이런 놈은 그냥 도태돼 버리는 게 낫지 않나?' 말은 안 했지, 니네 형도 같은 생각일 걸?

이랑 (무참한 기분으로 울분을 참는데)

오오가마 (히죽) '반쪽이'잖아. 구미호도 인간도 못 된 버러지.

인서트 플래시백 구미호뎐 8화

저주와 같은 어린 시절 스쳐 간다.

'사생아! 저놈이 여우가 낳은 사생아라지?' '죽어! 죽어!!' 하던 마을 사람들!

엄마가 '넌… 태어나지 말았어야 했다. 이 어미는 뱃속에 든 너를 떼버리려고 안 해 본 짓이 없단다. (중략) 아가. 넌 괴물이란다.'

부두목 두목한테! 함부로 말하지 마!!!

분노한 부두목이 덤벼든다! 유키의 주먹에 곧장 나가떨어진다! 구하고 싶은데, 이랑은 일어나지 못한다!

유키 오오가마. 끝내 버려.

여희(E) (울면서 온 마음으로) 일어나. 포기하면 안 돼….

이랑 (여희와 눈 마주친다. 비참한 심정으로) 보지 마… 보지 마.

오오가마가 아까 멀찍이 던져 놓은 무기를 주워 든다! 이랑에게 다가온다!

무력감과 분노로 눈물이 흐른다! 이연의 얼굴 스쳐 간다!

인서트 플래시백

12화 '반쪽이니 뭐니 해도 너 내 동생이야. 어엿한 구미호 일족이고. 목숨 걸고 싸우는 순간이 되면, 네 스스로를 믿어 줘. 형이 너를 믿는 것처럼.'

이랑 (절망으로) 아니… 난 못 해.

찰나, 분노한 여희가 무기를 집어 들고 덤벼든다! 유키를 찔렀다!

유키가 사정없이 얼굴을 갈기고! 우악스럽게 여희 목을 조른다!

이랑이 '안 돼!!'

동시에 오오가마가 이랑에게 '쾅!!' 무기를 내리꽂는다!

그런데! 맨손으로 칼날 움켜쥐는 이랑! 힘으로 오오가마를 밀어내고 일어선다!

처음으로 양쪽 눈이 '구미호의 그것'으로 변했다!

오오가마 (!!) 두 눈이… 다 변했네?

오오가마가 미친놈처럼 이랑을 공격해 보지만!

별로 힘도 들이지 않고, 한 자리에 서서 전부 막아 낸다!

마지막으로 오오가마에게 주먹을 날리면! '쿵!!' 나가떨어지는 오오가마!
'오오가마!!!' 유키가 안색 싹 변해서 이랑에게 달려든다!

인서트 플래시백
'옛날에 아버지가 이런 얘기를 했어. 나한테 동생이 하나 있는데, 그놈은 언젠가 나를 뛰어넘을 지도 모른다고.'

이랑이 그 자리에서 주먹을 '꽉' 쥔다!
바닥에 떨어진 두 자루의 도끼, 떨리듯 움직이더니! 그대로 가서 유키에게 박힌다!

유키 (믿기지 않는 듯) 반쪽짜리 주제에….
이랑 (마지막 일격을 날리고) 나는… '구미호'야.

유키의 숨 끊어진다. 이랑도 다리에 힘이 풀린다.
여희가 이랑에게 달려간다. '다 끝났구나.' 싶은데.

사토리(E) 아… 무슨 소리지?

죽은 용병단 대장 '사토리'다!
시체나 다름없는 몸에 귀소목을 주사한 모양새!

사토리 (귀를 탁탁 치며) 귀에서 누가 휘파람을 부니? (칼을 뽑는) 아아… 시끄러우니까 다 죽여야겠다.

사토리가 다가온다! 더 이상 싸울 힘도 없는 이랑인데!
사토리가 막 칼을 치켜든 순간! 뒤에서 바람처럼 사토리를 가르는 검!
'어라?' 소리와 함께 사토리 쓰러지면서 그 얼굴 보인다!
'이연38'이다!

이연38 (멋지게 머리 쓸어 넘기며) '진짜 이연' 등장!
이랑 !!!!!

#25 야산 (낮)
재유가 무릎을 꿇고 고꾸라지듯 앉아 있다. 죽어 가고 있다.

홍주 (흐르는 피를 막아 주며, 미칠 듯이) 어떡해… 피가 안 멈춰!!
재유 죄송해요….
홍주 왜 그랬니? 응? 차라리 나를 찌르지!!
재유 '주인을 문 진돗개'를… 사장님 옆에 둘 순 없잖아요.

와중에도 옷소매로 홍주의 '피 묻은 구두' 소중히 닦아 주는 재유.

재유 저 없어도 이런 거 묻히고 다니시면 안 돼요.
홍주 안 돼… 안 돼. 재유야!
재유 모시게 돼서… 영광이었어요. 세상에 버림받은 저희한테 사장님이 얼마나 큰 위로였는지.

인서트

과거. 꼬질꼬질 한 진돗개 한 마리, 힘없이 늘어져 있다.
진돗개의 시선으로, 다가와 머리 쓰다듬는 홍주의 모습 짧게 스쳐 간다.

홍주 이러지 마. 재유야. 나 두고 가지 마라!

재유 이미… 피를 너무 많이 흘렸어요.

홍주 너 죽을 때까지 나 하나만 섬기겠다며! 내가 시키는 건 뭐든지 다 하겠다고 했잖아! 그러니까 일어나.

독하게 일으키려는데, 재유는 일어나지 못한다.

홍주 (마음은 갈래갈래 찢어져서) 유재유. 명령이다. 일어나.

재유 (힘없이 늘어지는)

홍주 일어나서 집에 가자!!

재유 집… (미소) 떠돌이개로 태어나 처음으로 생긴 '우리 집'이었는데. (눈물 뚝뚝 흘리며) 이제… 돌아갈 길이 없네요.

홍주 어떻게… 네가 어떻게 나한테 이러니!

죽어 가는 재유를 소중히 끌어안고 비통한 울음을 쏟는다.
그러고 있는데, 문득 귓가에 들리는 익숙한 목소리.

이연38 우냐??

홍주 (고개를 들고 보면) 만주에 있던… 약쟁이?!!

이연38 오랜만이다? (재유 구경하면서 쯧쯧) 누가 다 죽어 가나 봐?

홍주 (열 받아) 꺼져.

이연38 좋은 거 주려고 했더니. 뭐 싫음 말고.

홍주 (보면, 작은 유리병에 '빨간 꽃' 한 송이 들어 있다)

이연38 '버들도령'이랑 내기해서 어렵게 얻은 건데.

홍주 버들도령? 설마?!!

이연38 (씩 웃으며) 피살이 꽃.

자막 피살이 꽃 - 전래동화 '연이와 버들도령'에 나오는 꽃, 피를 다시 돌게 만든다.

홍주가 꽃에 손을 뻗는다. 꽃 사이에 두고, 둘이 손을 맞잡은 모습에서.

#26 반도 호텔 / 로비 (밤)

총독부 관료들과 이름난 친일파들 한 자리에 모였다.
아키라와 정 형사, 각자의 위치에서 곳곳을 예의주시하고 있다.

사회자 다들 자리에 앉아 주십시오. 가토 류헤이 조선 총독부 경무국장과 타와라 긴코 양의 결혼식을 시작하겠습니다.

로비의 시계 '6시' 정각을 가리키면, 웨딩 음악 흘러나온다.

사회자　신랑 입장!

국장이 당당하게 입장한다.
어느 틈에 웨이터로 분한 신주, 손님들 찻잔을 채우고 있다.
정 형사의 눈에 띄었다! '저놈! 그때 그 기차에서!!'
둘이 눈 마주친다. 정 형사 조용히 다가오면, 신주가 빠른 걸음으로 자리 뜬다.

사회자　신부 입장!

부케를 든 은호가 아빠 손을 잡고 입장한다.
아키라가, 조금 떨어진 곳에서 '중절모'로 얼굴을 가린 수상한 남자를 발견!
'(!!) 구미호?' 하더니 곧장 경호 몇을 데리고, 뒤를 밟는다!

사회자　총독 각하의 축하 말씀이 있겠습니다.
하객들　(자리에서 일어난다)
총독　이 결혼은 '내선일체'의 상징입니다. 총독부 경무국장으로서 조선 치안 유지를 위해 앞장선 가토 류헤이군. 그리고 비행기를 두 대나 헌납한 애국자 집안의 딸 타와라 긴코 양. 이 결혼이 신동아건설이라는 대업을 완성하기 위한 밑거름이 되길 바라며, 두 사람의 결혼을 진심으로 축하하는 바입니다.

그 사이, 신주가 모처에서 정 형사와 마주쳤다! 신주가 숨을 한 번 고른다! '간만에 지리산 미친 여우로 변신!' 하더니 정 형사와 격투를 벌인다!
아키라는 정신없이 중절모를 쫓고 있다!
총독 연설 끝났다. 박수갈채 터져 나온다. 총독과 하객들 착석한다.

사회자 다음 순서로는…. (하는데)

은호 (마이크 가로채며 조선말로) 저도 한 마디 해도 될까요?

사회자 (당황하는) 예??

은호 (냉큼 마이크 뺏고) 이 결혼식에 와 주신 하객 여러분, 감사드립니다. 덕분에, 제가 일일이 찾아갈 필요가 없게 됐네요.

국장 (작은 소리로) 무슨 짓이야!

은호 (아랑곳 않고) 미리 여러분들의 '명복'을 빕니다. 공교롭게도 오늘 이 자리가 여러분 무덤이 될 거거든요.

국장 (뭔가 이상하다, 은호에게) 너 뭐야?!

은호 나?

경악하는 국장 얼굴에서! 은호의 모습, '부케를 든 이연'으로 바뀐다!

이연 (마이크에 대고) 조선의 마지막 산신.

부케 '툭' 던져 버리고! 국장을 향해 무시무시한 일격을 날린다!

정통으로 맞고 나가떨어지는 국장!

#27 반도 호텔 / 모처 (밤)

동시에 아키라가 중절모 사내의 어깨를 붙든다! 이연인 줄 알았지만! 돌아서며 양손으로 총을 쏘아 대고 달아나는 그 얼굴, 남장을 한 '은호'다!
바로 뒤를 쫓으려는데 '기습이다!!' 하는 소리! 아키라가 '지원을 풀어!!'

#28 반도 호텔 / 로비 (밤)

경호들이 곧바로 총을 쏘며 반격하면서 장내는 순식간에 아수라장!
이연이 가볍게 놈들을 상대한다! 하객들, 비명을 지르며 달아난다!

아빠 총독 각하! 각하를 지켜라!!

은호 아빠와 총독, 경호들에게 둘러싸여 다급히 식장을 뜬다!
국장이 이를 악물고 일어선다! 검을 뽑아 든다! 이연도 기다렸다는 듯 검을 잡는다!

국장 (분노로) 왜. 왜 제국에 대항하느냐.

이연 일종의 본보기랄까? 니들한테 알려 줘야 될 거 같아서. 조선은 끝까지, 아주 징글징글하게 싸울 거라는 거.

국장 너 하나 날뛴다고, 조선이 바뀔까? 나 하나 잡는다고, 이 나라가 독립이라도 될 거 같아?

이연 '스포' 하나 해 줄까. (가까이 대고) 정확히 1945년 8월. 일본은 전쟁에서 패망하고, 조선은 해방이 돼. 그럼 니들은 니네 땅에 (일장기 가리키며) 한동안 저 국기도 못 걸고, 국가도 못 부른다?

국장 ('무슨 소릴까.') 뭐?!!

이연 그럼에도 불구하고 넌 '그 미래'를 못 봐요. 왜냐하면 오늘 이 자리에서 죽거든. 내 손에.

이연의 말이 끝나기 무섭게! 살벌한 기세로 검을 맞대는 두 사람!! 한 치의 양보도 없는 진검 승부 벌어진다!

#29 반도 호텔 / 입구 (밤)

하객 일부가 호텔을 빠져나간다! 은호 아빠와 총독이 입구로 뛴다!
그때 입구 가로막고 총을 쏘기 시작하는 신주!
종로서 형사들 반격하지만 쓰러지지 않는다! 아빠가 몸을 돌려 '위층으로!!'

#30 반도 호텔 / 위층 (밤)

친일파와 관료들, 위층으로 몸을 피한다!
은호가 '기관총'을 들고 그들을 맞는다! 기관총 난사한다!
잠시 후, 은호 아빠와 총독, 경호 몇이 2층으로 뛰어온다!
총알이 떨어졌다! 은호가 기관총 버리고 권총을 든다!
코너에 숨어 있다가 정확히 총독의 심장을 쏘고! 총을 겨눈 경호들 쏘아 맞힌다!
아빠 얼굴에 피가 '팍' 튄다! 아빠와 은호만 남았다!

아빠 (매섭게 일갈) 타와라 긴코!!! 조선 땅에서, 이 타와라 쇼의 딸로 태어나 넌 뭐든 될 수 있었어. 근데 왜 하필….

은호 뭐든 될 수 있었죠. 최초의 여자 신문 기자. 이 반도 호텔의 주인. 또는 금광 재벌. 근데 아빠. 난 '암살자'로 살기로 했어요. 타와라 긴코 말고 '선우은호' 난 아빠가 지어 준 그 이름이 더 좋거든.

그 말이 끝나기 무섭게! 아빠가 바닥에 떨어진 권총을 들어 쏴 버린다!
은호 어깨에 맞았다! 다시 한 번 겨누며!

아빠 넌 이제 내 딸이 아냐.

총을 쏘는 순간! 신주가 은호를 감싸며 대신 총을 맞는다! 몇 번 더 쏜다! 총을 맞고도 죽지 않는 신주! '피해요. 은호 씨!! 곧 폭탄을 터뜨릴 거야!'

신주가 은호 데리고, 자리를 뜨기 무섭게! 일본 군인들 나타난다! 죽은 총독과 총을 든 은호 아빠 보자마자! '총독이 살해당했다!!'
얼른 총 버리고 '내가 아냐!!' 해 보지만, 군인들 총알이 벌집처럼 몸에 박힌다!

#31 반도 호텔 / 로비 (밤)

이연과 국장의 승부 계속된다!
힘과 힘이 팽팽히 부딪치는 가운데! 서로 한 번씩 베었다!
이연이 인상을 '팍' 찌푸리더니! 무서운 기세로 국장을 몰아세운다!
국장이 밀리더니 이내 검을 놓쳐 버린다!

이연 (다가가며) 여기서 끝내자. 내가 7시에 중요한 약속이 있거든.
국장 (픽 웃는다)
이연 웃어??
국장 그 약속, 제 시간에 못 갈 거 같은데?

이연이 돌아본다! 등 뒤로 아키라와 무장한 일본군 모여드는 것 보인다!
이연이 벽시계를 본다! 6시 25분이다!

이연 (쓰게 웃으며) 하여튼, 한 번을 쉽게 가는 법이 없다니까. (권총 꺼내 들고) 이 순간을 위해 준비했어. (꽃바구니 겨누며, 국장에게) 혹시 '불꽃놀이' 좋아하니?

망설임 없이 폭탄이 든 꽃바구니에 총을 쏜다!
그런데! 폭탄은 터지지 않고, 꽃잎만 분분히 날린다?! 다가가서 꽃바구니 뒤진다!

국장 (당황한 이연에게) 이거 찾고 있나 봐?
이연 (보면, 폭탄이 국장 손에 들려 있다!) 젠장.

폭탄이 이연의 발밑에 날아든다! '쾅!!!' 요란한 폭발음과 함께 폭탄 터진다!

#32 반도 호텔 / 인근 (밤)
신주가 부상당한 은호와 헤어질 채비를 한다. 은호의 상처 들여다보며.

신주 다행히 살짝 스쳤어. 바로 병원으로 뛰어요!
은호 (신주 옷깃을 잡고) 우리, 다시 못 만나는 거지?
신주 (끄덕하고) 미래에 '선우은호'란 이름을 기억하는 사람은 아무도 없을지도 몰라. 근데 난 못 잊어. 당신이 얼마나 열심히 싸웠는지.
은호 그걸로 충분해. (울컥한 얼굴로 악수하며) 만나서 반가웠어. 동지.

#33 반도 호텔 / 로비 (밤)

폭발 속에서 이연이 서서히 고개를 든다! 그런데 '뭔가'를 보고 '씩' 웃는다?!

국장 웃어?

이연 네가 까먹은 게 하나 있는데. '조선의 산신'은 나 하나가 아니야.

이연의 시선을 따라 보면!
대검을 어깨에 지고, 살기등등한 얼굴로 등장하는 것! '홍주'다!!
일동 그쪽으로 총을 겨누는데!

홍주 (광기 어린 눈으로) 여러분? 내가 오늘, 기분이 아주 거지 같거든? 그래서 말인데, 단 한 놈도 살아서 못 나간다.

국장 쳐라!!

아키라가 제일 먼저 달려든다!
홍주가 번개처럼 칼을 휘둘러 아키라를 베고! 군인들 베기 시작한다!

이연 (씩 웃으며 국장에게) 우리도, 이제 끝을 내야지?

이연이 제대로 자세를 잡는다! 국장도 검을 고쳐 쥔다!
동시에 서로를 향해 달려든다! 이연의 두 눈, 구미호의 눈빛으로 변한다!

인서트

호텔 밖에 있는 신주의 시선으로, 마른 밤하늘 번쩍이는 것 보인다!

이연의 칼날에 번개가 실린다! 일격에 국장의 몸을 가른다!

이연 (그 자세 그대로) 이 땅의 주인은 니들이 아니야.

국장 ('쿵!!' 쓰러지는) 감히… 조선의 산신 따위가….

이연 (하는데 '퍽!!' 찌르고) 미안한데, 유언 같은 거 들어줄 시간이 없다.

시간은 6시 30분! 신주가 달려와서 채근한다!

신주 이연님! 빨리요!!

홍주 가! 여기는 나한테 맡기고!

이연 (잠시 신주가 군인들 막는 사이) 애들은?

홍주 다들 무사해. 네 동생도.

이연 간다.

홍주 잘 가. 덕분에 '어떤 이름'으로 살지 결정했어.

이연 '서쪽 산신 류홍주' (손 내밀며) 넌 묘연각 사장보다 그게 더 잘 어울려.

홍주 (내민 손 툭 치고, 와락 끌어안으며) 보고 싶을 거야. 이연.

#34 묘연각 / 앞 (밤)

이랑이 다친 몸으로 절뚝이며 묘연각 나선다.

부두목 (말리며) 두목! 그 몸으로 어딜 가세요?!

이랑 이연한테 할 말이 있어!

부두목 뿌리치고 뛰기 시작하는 이랑이다.

#35 반도 호텔 / 앞 (밤)

월식을 20분 남기고, 이연과 신주 차에 오른다! 신주가 급히 시동을 건다!

이연 뭐 해!!

신주 시동이 안 걸려요!

그 사이, 정 형사가 부하들을 데려왔다! 차를 포위하듯 에워 싼다!

정 형사 막아!!

이연 가야 돼! 밀어 버려!

신주 (액셀 밟는데) 차가 안 움직여요!!

#36 내세 출입국 관리 사무소 (밤)

탈의파가 안절부절못해서 시계를 본다. 시간은 20분도 안 남았다.

탈의파 월식이 곧 끝나는데! 대체 왜 안 오는 거야?
현의옹 올 거야. 연이는.
탈의파 자꾸 기분 나쁜 예감이 들어. 최초의 산신은 어디로 사라진 걸까.
현의옹 (단호히) 그만. 당신 손을 떠난 일이야. 천리안이 아니라 나까지 잃기 싫으면, 당신 제발 그만 다쳐.

#37 반도 호텔 / 앞 (밤)
이연이 도리 없이 차에서 내린다!
그때 '누군가' 뒤에서 정 형사와 형사들을 '퍽!' 베어 버린다!
그 얼굴, 뜻밖에도 '죽은 줄 알았던 무영'이다!

무영 내가 너무 늦었나?
이연 아니. 타이밍 딱 좋았어.

마주 보고 웃는 두 남자 모습에서 '부활한 무영의 사연' 빠르게 보인다!

인서트 플래시백
11화에 이어, 이연이 죽은 무영을 흔들어 깨우며!

이연 죽지 마! 죽지 마라. 무영아! 할멈! 탈의파! (하늘에 대고) 아니 누구라도 좋으니까 얘 좀 살려 줘. (무영 붙들고 흐느끼다가) 젠장. 뭐가 이 따위야?!

이연은 모르지만, 그 팔에 '7개의 붉은 점' 반짝 빛을 발한다! 이어 이연 눈앞에! 삿갓 남이 아기 업신을 안고 서 있다!

삿갓 남 업신께서 약속을 지키러 오셨답니다.

이연 (무영 가리키며, 믿기지 않는 듯) 혹시… 살릴 수 있어?

삿갓 남 (만져 보고 끄덕) 혼이 아직 이승을 떠나지 않았어요. 불러올까요?

아기 (옹알옹알)

이연 뭐래?

삿갓 남 소망을 아껴두시랍니다. 여전히 그대는 '길을 잃을' 테니까.

이연 내 길은 내가 찾을게. 부탁한다.

다시 현재의 호텔 앞.

무영 (형사들 물리치며) 가! 뒤는 나한테 맡기고!

이연 고맙다. 천무영.

무영 하나만 묻자. 왜 나를 구했니?

이연 (삐딱하게) 이유가 필요하니? 우리가 서로를 구하는데.

무영 ('픽-' 다정히 웃으면)

이연 (찡긋) 우리 이제 다시 '친구 먹은' 거다?

하자마자, 차를 내달리는 신주!
멀어지는 이연의 눈에! 무영의 손에서 불꽃 '화르륵' 타오르는 것 보인다!
떠나는 이연의 뒤를 지켜 주며, 멋지게 적들을 상대하는 무영 모습에서!

#38 경성 거리 (밤)

이랑이 미친 듯이 내세 출입국 관리 사무소 향해 뛰고 있다.

#39 내세 출입국 관리 사무소 / 안팎 (밤)

하늘에 보름달 걸려 있다. '월식'이 한창이다.
이연이 사무소에 도착했다.
사무소 뛰어드는 그들을 '누군가' 멀리서 위험하게 주시하는 시선. 훗날 알게 되지만, '최초의 산신'이다.

현의옹 여보! 애들 왔어!! (문가에서 맞으며) 마지막까지 고생 많았다. 둘 다.
신주 (꾸벅 인사하며) 신세 많았습니다. 그레고리님.
현의옹 (신주 붙들고 귓속말로) 그래서 조선은 해방이 됐니?

신주가 귀엣말 속삭이는 사이, 이연이 할멈에게 다가간다.

탈의파 (캐비닛 가리키며) 가거라.

이연 (괜히 삐딱하게) 눈은? 좀 괜찮아?

탈의파 (대답 대신) 나 원망스럽지? 너나 무영이한테 못 할 짓 많이 했다.

이연 거 원망은 내가 할 테니까 할멈은 빠져. 좋아서 한 일도 아니면서 마음의 짐까지 덮어쓰고 난리야.

탈의파 하나만 묻자. (자신 없이) 나는… 니들한테 좋은 부모였니?

이연 (단칼에) 그럴 리가.

탈의파 (씁쓸한 미소)

이연 (진심으로) 그래도, 우리 셋 다 할멈이 좋았어.

그 말에, 탈의파가 시큰하게 웃는다. 7시까지 이제 2분 남았다. 그런데 미련 가득한 얼굴로, 캐비닛 앞에서 문을 열었다 닫았다 하는 이연.

이연 랑이한테 작별 인사를 못 했어.

현의옹 (재촉하는) 연아! 2분도 안 남았다!

신주 (간곡히) 이연님. 가야 돼요.

이연이 마음을 비우고, 캐비닛 손잡이를 잡는다.
동시에 사무소 문 '벌컥' 열린다. 이랑이 숨을 헐떡이며 나타난다.

이연 랑아!! (한달음에 달려가 다정히) 꼴이 말이 아니네.

이랑 내가 이겼어! 네가 없어도 나 이제 씩씩하게 잘 싸운다고! 그러니까 나 진짜 괜찮다고! 이 말을 꼭 해 줘야 될 거 같아서.

이연 (뿌듯하게 머리를 쓸어 주는) 그럴 줄 알았어.

이랑이 11화에서 산 '선물' 건넨다.

이랑 별 거 아닌데, 복을 가져다 주는 물건이래. 나 까먹지 말라고.

이연 당연하지. (안아 주며) 하나밖에 없는 내 동생인데.

이랑 웃으면서 보내 준다고 했는데… 미안. (펑펑 울며) 그 약속… 도저히 못 지키겠어.

이연 으이그, 네가 애냐?

다정히 타박하는 이연도 울고 있다. 지켜보던 신주도 눈물을 훔친다.

이연 갈게.

이랑이 형을 놔준다.
더는 망설이지 않고 수호석 꺼내 드는 이연. 캐비닛 손잡이를 잡으면.
신주가 놓칠세라 이연의 옷깃 꼭 붙잡는다. 캐비닛 문 열린다.

이랑 잘 가… 형.

#40 반도 호텔 / 앞 (밤)

홍주와 무영이 나란히 호텔을 나선다. 뒤로 일본군 죄다 쓰러져 있다.

무영 연이는 무사히 갔을까?

홍주 아마도. 넌 어디로 갈 거야?

무영 어디든 좋아. 홍주 네가 사는 시대라면.

홍주 같이 갈래?

무영 그러고 싶은데, 잠시 떠돌이 의원 노릇이나 좀 해 보려고.

홍주 (반갑게) 의원??

무영 죽어 가는 순간에도 네 얼굴만 맴돌더라. 그래서 결심했어. 한번쯤 '네가 아는 천무영'으로 살아 보고 싶다. 아무도, 아무것도 베지 않아도 되는 그런 세상이 올 때까지.

홍주 돌아올 거지?

무영 물론. 내가 아무리 애를 써도.

홍주 (말 자르며) 나한테서 그리 멀리 가진 못할 테니까.

홍주가 무영을 끌어당겨 이마를 맞댄다. 마주 보고 따뜻하게 웃는 두 사람.

#41 묘연각 (밤)

그날 밤. 홍주가 '텅 빈 이연의 방'을 둘러보고 있다.
쓸쓸히 돌아서는데, 죽향이 와서 편지 한 통 건네준다.

죽향 이거. 이연님이 가면서 전해 달래요.

편지 열어 보면 '붉은색 고운 댕기' 들어 있다.
뒷면에, 서툰 솜씨로 홍주 이름 비뚤비뚤 수놓아진 댕기.

죽향 (미소로) 언니들한테 배워서 직접 수놓으신 거예요.

죽향, 물러난다. 홍주가 툇마루에 앉아 편지를 읽는다.
며칠 전, 묘연각에서 편지 쓰던 이연의 모습 교차된다.

이연(N) 옛날에 네가 제일 아끼던 댕기를 찢어 먹은 적 있어. 너 그날, 최소 전치 4주는 나올 만큼 나 팼다. 그때 그 소녀는 '세상 지밖에 모르는 얼굴'로 나랑 무영일 지키기 위해 툭하면 목숨을 걸곤 했어. 늙어도 똑같더라. 넌 여전히 누군가를 지키기 위해 싸우고 있지. 그거 약간 장녀 콤플렉스인데, 당하는 입장에서는 꽤 든든하더라.

홍주 (피식)

이연(N) 신세 많았다. 홍주야. 네 마음을 알면서 끝까지 염치없던 나를 용서해 주길. 적어도 나로 인해 상처받지 않기를 바라며. 이와 같은 '뇌물'을 동봉하는 바이다.

촉촉해진 눈으로 웃으며, 이연이 만들어 준 댕기 어루만지는 홍주.

#42 몽타주 (낮)

다른 날. 햇살 부시게 쏟아지는 경성 거리. 홍주가 거리를 걷고 있다. 뒤에서 양산으로 다정히 볕을 가려 주는 손, 재유다.

홍주(N) 연이는 떠났다. 마치 한 시대가 왔다 가 버린 것 같았지만 놀랍게도, 세상은 딱히 변하지 않았다.

신문팔이 소년이 홍주를 스쳐 가며 '호외요! 호외! 조선 총독이 새로 부임한대요!'
그 소식에, 홍주가 인상을 살짝 찌푸린다.
그 너머, 부두목과 마적단 뛰어다니며 분주히 배달 중이다.
이마에 두른 띠에 '민족의 배달' 적혀 있다. 부두목은 신주가 준 스니커즈 차림.
재유가 부두목에게 반갑게 손을 흔든다.

홍주(N) 변한 건 우리들이다.

걷는 홍주의 시선 따라, 뒷골목에서 빈민들 치료하는 무영이 보인다. 홍주를 보고, 가볍게 미소 짓는 무영이다.
걷다 보면, 업자를 데리고 건물 올려다보는 은호의 모습 보인다.
'여기에 조선인 학교를 세울 거예요.' 진지하게 얘기하다, 홍주에게 눈인사한다.
홍주가 오복 양품점을 찾았다.
재유가 보자기를 내민다. 우렁각시가 풀어 보면 금괴다.

우렁각시 (!!) 이걸 다 군자금으로 내주신다고요?

홍주 불 지필 때도 큰 장작부터 넣으면 불이 안 타. 밑불이 있어야지. (벌떡 일어서며) 열심히 해 봐.

홍주가 묘연각으로 돌아왔다.
매난국죽이 뜰에서 검술 연습을 하고 있다가 '사장님!!' 환하게 맞는다.
기생들 스쳐 지나가면.
손 꼭 잡고 앉아 있는 커플 앞에 놓고, 거만한 태도로 잔소리하는 '이연38'이 보인다.

이연38 우리 집안에 대해선 좀 들었나?

여희 (끄덕끄덕)

이연38 우리 가문으로 말할 거 같으면 4대 산신, 그중에서도 백두대간의 산신을 배출한 명문가로서….

이랑 (창피해 죽겠다) 똑같은 말을 몇 번 하냐고!!

살짝 삐진 이연38, 눈에 띄는 물건을 닥치는 대로 곰방대처럼 입에 문다.
'뱉어!!' 이랑이 빼내면 또 다른 걸 문다. 그 모습에 '픽' 웃는 홍주.

홍주(N) 묘연각의 새로운 객식구는 '금단 증상'과 싸우고 있다. 이랑이 어린 시절의 빚이라도 갚듯 그런 형을 돌보고 있지만, 딱히 싫지만은 않은 눈치다.

그날 오후, 상다리 부러지게 차려 놓고 밥을 먹는 홍주. '밥 더 가져와!' 외친다.
매화가 밥솥을 통째로 들고 달려간다. 기생들 한쪽에서 지켜보며.

난초 어떡해. 사장님 폭식이 도졌어.
죽향 어젯밤엔 소 한 마리를 잡아 드셨어요.
국희 이연님 가고, 외로우신 거지.
홍주(N) 실연의 충격 때문이란 소문이 돌았지만, 그렇게 믿는다면 오산이다.

식사 끝났다. 홍주가 우아하게 입을 닦고 일어선다.

#43 경성 거리 (밤)
그날 밤, 인적 없는 거리. '새로운 총독 일행'을 누군가 가로막고 섰다.
다름 아닌 세 명의 산신이다.

무영 그쪽이 새로 부임한 '조선 총독'인가?
경호들 (일제히 총을 겨누면)
이연38 (신난 얼굴로) 밟자!!

동시에 적들에게 달려드는 세 친구!
홍주 대검에 묶인 '붉은 댕기' 바람에 아름답게 휘날리면서!
<블랙 화면>에 자막 + 홍주 목소리.

홍주(N) 네가 떠난 그곳은 시간이 달리 흐른다고 했지. 너는 지금 어느 시간대를 걷고 있니? 연아.

#44 서울 / 거리 (낮)
'태극기' 펄럭이는 광장. 숱한 계절을 넘어 현재, 대한민국 서울이다.
화창한 서울 도심을 무심히 오가는 사람들. 그 사이로 지아가 걸어 나온다. 굵직한 빗방울 떨어진다. 여우비다.
걸음을 재촉하며 건널목에 선다. 문득 길 건너편을 보고 눈부시게 웃는 지아.
눈에 익은 빨간 우산 보인다.
그 우산 속에 거짓말처럼 그녀를 기다리고 선 것, 이연이다.
신호 바뀐다. 지아에게 다가가는 이연의 걸음걸음에 설렘과 그리움 묻어 있다.
다정히 우산 씌워 준다. 이연의 눈가 촉촉해져 있다.

이연 (울컥해서, 그저 마주 보다가) 내가 너무 늦었지?
지아 아니. 돌아올 줄 알았어. 언제나 그랬듯이. 나한테.
이연 보고 싶었어. 미치도록.

마치 다음 생에서 다시 만난 듯, 뜨겁게 지아를 끌어안는 이연.
우산 굴러 떨어진다.
둘 사이로 동화처럼 빗방울 흩날리면서.

12화 끝

에필로그 _epilogue

어느 시골길. 온양으로 향하는 '세자의 가마 행렬' 보인다.
일순! 고요한 가마 안에, 순간 이동이라도 하듯 나타나는 사내!
현대적인 옷차림의 '이연'이다!
세자 기함하는데!
'익스큐즈 미!' 뻔뻔하게 말하더니 가마 천장을 뚫고 '퍽!' 일어선다!
호위가 혼비백산해서 '자객이다! 세자 저하의 가마에 자객이!!!'
다들 칼을 겨눈다!
가마에서 내린 이연, 검을 뽑아 들고 '씩' 웃는다!

이연 여기가 '조선'이렷다?